ADMINISTRATION FINANCIÈRE I

D'APPRENTISSAGE : QUESTIONS, PROBLÈMES, RÉPONSES ET SOLUTIONS

ADMINISTRATION FINANCIÈRE I

LES ACTIVITÉS D'APPRENTISSAGE : QUESTIONS, PROBLÈMES, RÉPONSES ET SOLUTIONS

Jacques Leclerc
Narjess Boubakri
Claude Bergeron

Télé-université
Université du Québec à Montréal
Québec (Québec) Canada
2007

Ce document est utilisé dans le cadre du cours
Administration financière I (FIN 1020)
offert par la Télé-université.

La 3e édition de ce volume a été réalisée
sous la direction de Réjean Légaré.

• • •

ISBN-13 : 978-2-7624-1449-3 (3e édition, réimpression 2007)

Dépôt légal – Bibliothèque et Archives nationales du Québec, 2006

Dépôt légal – Bibliothèque et Archives Canada, 2006

Édité par :
Télé-université
Université du Québec à Montréal
455, rue du Parvis
C. P. 4800, succ. Terminus
Québec (Québec) G1K 9H5
www.teluq.uqam.ca

Distribué par :
Presses de l'Université du Québec
2875, boulevard Laurier
Québec (Québec) Canada
G1V 2M3
Téléphone : (418) 657-4399
Télécopieur : (418) 657-2096

Remerciements

Nous tenons à remercier toutes les personnes qui ont contribué de près ou de loin à la réalisation de cet ouvrage.

Plus particulièrement, nous voulons souligner le travail de Claire Ghersi, spécialiste en sciences de l'éducation, celui de Sylvie Pouliot et André Cloutier, spécialistes en communication écrite, de Bernard Lépine, concepteur graphique, et remercier Réjean Légaré et Jean-Marc Fournier pour leurs commentaires et observations.

Jacques Leclerc
Narjess Boubakri
Claude Bergeron

Table des matières

Chapitre 6

La détermination du taux de rendement d'un actif : applications

Chapitre 7

Les critères de choix des investissements

Chapitre 8

La détermination des flux monétaires d'un projet d'investissement

Chapitre 9

Le calcul de la *VAN* en contexte fiscal canadien

Chapitre 10

La gestion des investissements et ses particularités

LES ACTIVITÉS D'APPRENTISSAGE

Chapitre 11 Introduction à l'incertitude

Chapitre 12 Le budget de caisse

Chapitre 13 Les ratios financiers

Chapitre 14 Une application de l'analyse par les ratios

Administration financière et fiscalité

Les divers paliers de gouvernement apportent de temps à autre des modifications à la fiscalité. Ces modifications peuvent avoir un impact sur les paramètres utilisés en administration financière (par exemple, le taux d'inclusion du gain en capital).

Les changements apportés aux paramètres fiscaux de l'administration financière modifient les résultats numériques et, dans certains cas, les conclusions de certains problèmes. Cependant, ces changements ne modifient en rien la démarche de l'analyse. *C'est cette démarche qu'il importe de maîtriser au terme du cours.*

Les paramètres fiscaux utilisés dans la documentation sont donc présentés à titre indicatif seulement.

Note.– Dans ce document, le générique masculin est utilisé sans discrimination et uniquement dans le but d'alléger le texte.

Chapitre 1

Introduction à l'administration financière

Les questions

1. Nommez les principaux agents économiques. Pourquoi les appelle-t-on ainsi?

2. Quels sont les éléments d'une saine gestion financière?

3. Expliquez ce qu'est l'administration financière.

4. Expliquez le but de l'administration financière.

5. Décrivez le rôle de chacune des grandes fonctions de l'entreprise.

6. Résumez les responsabilités d'un contrôleur et celles d'un trésorier.

7. Expliquez pourquoi vous serez amené à jouer le rôle d'un vice-président aux finances dans le cadre de ce cours.

8. Expliquez en quoi consiste la décision d'investissement.

9. Expliquez en quoi consiste la décision de financement.

10. Expliquez pourquoi la décision d'investissement et la décision de financement sont deux décisions séparées.

Les réponses

1. Les principaux agents économiques sont les individus, les entreprises et le gouvernement. On les appelle ainsi parce qu'ils contribuent à l'économie par leurs activités de consommation, de production et d'investissement.

2. Une saine gestion financière tient compte des implications d'une prise de décision. Il faut identifier ces implications, les quantifier et les analyser avant de prendre une décision.

3. L'administration financière est un processus dynamique dans lequel un agent planifie, organise, décide et contrôle l'utilisation des ressources mises à sa disposition, dans l'atteinte d'objectifs prédéterminés.

4. Le but de l'administration financière est de maximiser l'utilité de l'agent économique, c'est-à-dire d'utiliser les ressources limitées de la façon la plus efficace afin d'en retirer la plus grande satisfaction possible.

5. La fonction *marketing* fournit l'information nécessaire à l'estimation des entrées de fonds prévues. La fonction *production* joue un rôle important dans la prévision des sommes nécessaires à l'acquisition d'actifs et à la détermination des coûts d'exploitation d'une entreprise. La fonction *ressources humaines* donne les informations touchant aux coûts et à la disponibilité des ressources humaines nécessaires à un projet particulier. La fonction *recherche et développement* fournit aux dirigeants l'information concernant les capacités technologiques présentes et futures de l'entreprise quant à la faisabilité technologique du projet. La fonction *finance* a la responsabilité de produire l'information financière sur la rentabilité d'un projet et sur la capacité de financement interne et externe de l'entreprise pour le réaliser.

6. Le trésorier :
- planifie les entrées et les sorties de fonds;
- prévoit les besoins de financement à court et à long terme;
- compare et évalue le coût des diverses possibilités de financement;
- gère les comptes bancaires et l'encaisse.

Le contrôleur :

- établit, coordonne et administre un plan de contrôle budgétaire des opérations;
- établit le budget de caisse et les autres budgets d'exploitation;
- prépare les états financiers;
- compare les résultats obtenus avec les budgets;
- formule les politiques et les procédures comptables.

7. Le vice-président aux finances voit à ce que l'entreprise maximise l'utilisation des ressources financières mises à sa disposition. C'est lui qui prend les décisions financières dans une entreprise et c'est donc le poste à occuper si vous voulez avoir une vue d'ensemble et comprendre ce qu'est l'administration financière.

8. La décision d'investissement consiste à choisir, parmi différentes possibilités, les projets qui permettent aux agents économiques d'atteindre les objectifs préalablement fixés.

9. La décision de financement vise à combler les besoins de fonds des agents économiques.

10. Les décisions d'investissement et de financement sont prises de façon séparée dans le temps. La première se prend sur une base spécifique, chaque fois qu'un projet se présente, alors que la seconde se prend sur une base globale, en considérant l'ensemble des projets. Ces deux décisions sont donc non seulement séparées dans le temps, mais elles le sont aussi dans leur propre fonction.

Chapitre 2

La notion de valeur

Les questions

1. Définissez l'utilité.

2. Que représente la notion d'intérêt pour l'emprunteur et pour le prêteur?

3. Expliquez comment on détermine le taux d'intérêt versé ou reçu sur les transferts de fonds.

4. Identifiez et expliquez les facteurs de prime qui justifient le niveau de taux d'intérêt, du point de vue du prêteur.

5. Quelles sont les caractéristiques de l'intérêt simple?

6. Quelles sont les caractéristiques de l'intérêt composé?

7. Distinguez le *taux d'intérêt nominal* du *taux d'intérêt périodique* et du *taux d'intérêt effectif.*

8. Expliquez et représentez par une figure la différence entre la capitalisation et l'actualisation.

Les problèmes

1. a) Complétez la table financière suivante (cinq décimales) :

Valeur accumulée (future) de 1 $

Période	Taux			
	0 %	1 %	10 %	100 %
1				
1,5				
2				
5				
30				

b) Comment appelle-t-on chacun des facteurs trouvés?

c) En n'utilisant que les données de cette table, calculez la valeur accumulée d'un dépôt de 5 730,86 $ après 30 périodes, si le taux d'intérêt périodique est de 10 %.

d) À partir de la même table, dites à quel taux annuel on a placé 100 $, si on a accumulé 1 744,94 $ après 30 périodes.

2. a) Complétez la table financière suivante :

Valeur actuelle de 1 $ reçu en fin de période

n	*i*			
	1 %	10 %	15 %	20 %
1				
5				
20				
50				

b) Comment appelle-t-on chacun des 16 facteurs calculés?

3. Votre père est propriétaire d'une maison dont la valeur marchande actuelle est de 75 000 $. Lors d'une récente conversation très sérieuse que vous avez eue avec lui, il vous a fait la promesse de vous revendre sa maison dans exactement dix ans. Il vous assure qu'il ne veut pas réaliser de gain excessif et, conséquemment, il vous revendra la maison à sa valeur actuelle, gonflée uniquement de l'inflation qui surviendra au cours des dix prochaines années. Si les spécialistes prévoient un taux d'inflation annuel moyen de 4,5 %, combien paierez-vous la maison de votre père?

4. Quelle est la valeur future, ou accumulée, ou capitalisée, d'un capital de 3 000 $ placé au taux de 12 % capitalisé semestriellement pendant 4,5 ans?

5. Vous avez placé 10 000 $ il y a huit ans exactement et vous n'avez jamais touché au capital ni aux intérêts accumulés depuis lors. Votre compte montre un solde actuel de 25 750,83 $. Sachant que l'intérêt était composé et accumulé trimestriellement, on demande :

a) quel était le taux d'intérêt périodique?

b) quel était le taux nominal?

c) quel était le taux effectif?

6. Calculez l'intérêt total généré par un capital initial de :

a) 5 000 $ placé à 12 % capitalisé mensuellement pendant cinq ans et deux mois;

b) 2 000 $ placé à 14 % capitalisé semestriellement pendant 78 mois.

7. Vous avez placé 10 000 $ pendant cinq ans, au taux effectif de 15 %. Calculez les intérêts composés produits au cours des deux dernières années.

8. Votre mère vous a ouvert un compte afin que vous disposiez d'un montant intéressant pour commencer vos études universitaires, soit dans douze ans exactement. Elle a donc placé 10 000 $ au taux de 12 % composé mensuellement.

a) De combien disposerez-vous au début de vos études?

b) Si l'intérêt de 12 % avait été simple plutôt que composé, combien votre mère aurait-elle dû déposer pour que vous disposiez du même montant calculé en a)?

9. Votre riche et généreux parrain vient de mourir et vous êtes un de ses heureux héritiers. Voici ce qu'il vous lègue (nous sommes présentement le 1er janvier 20X0) :

- 100 000 $ dans deux ans exactement, soit au 01-01-20X2;
- 500 000 $ dans cinq ans exactement, soit au 01-01-20X5.

Vous êtes sage et décidez de ne pas toucher cet argent avant le 01-01-20X10. Vous prévoyez que les taux d'intérêt offerts par les banques seront les suivants :

- du 01-01-20X2 au 31-12-20X2, 12 % composé mensuellement;
- du 01-01-20X3 au 31-12-20X4, 10 % composé mensuellement;
- du 01-01-20X5 au 31-12-20X9, 16 % composé mensuellement.

Si vos prévisions se révélaient exactes, de combien disposeriez-vous au 1er janvier de l'an 20X10?

10. Sauriez-vous partager une somme de 100 000 $ entre deux personnes âgées respectivement de 40 ans et 46 ans, de façon à ce que chacune d'elles ait accumulé le même montant à son soixante-cinquième anniversaire et sachant qu'elles pourront placer la somme initialement reçue à un taux de 15 % composé annuellement?

11. Vous venez de gagner 1 000 000 $ à la loterie et vous avez la lourde tâche d'identifier la banque qui recevra votre dépôt du lot gagné. Très confiant, vous téléphonez donc aux gérants de trois succursales bancaires qui vous proposent les taux d'intérêt suivants :

- la Banque Nationale : 13,75 % composé quotidiennement;
- la Banque de Montréal : 14,25 % composé semestriellement;
- la Caisse populaire : 14,5 % composé annuellement.

Quelle banque allez-vous choisir?

12. Marcel a acheté une radio portative d'une valeur totale de 79,95 $. Il a déboursé un comptant de 19,95 $ et a promis au vendeur de lui payer la différence dans trois mois exactement, plus 2 $ d'intérêt.

a) Quel taux d'intérêt annuel simple le vendeur lui a-t-il demandé implicitement?

b) Quel taux d'intérêt nominal composé mensuellement le vendeur lui a-t-il demandé implicitement?

13. Combien de temps faudra-t-il pour doubler un montant unique :

a) à 5 % d'intérêt simple?

b) à 5 % d'intérêt composé (utilisez la calculatrice)?

c) Expliquez la différence entre les réponses obtenues en a) et b).

14. a) Complétez le billet à ordre suivant, en sachant que le montant total remboursé par monsieur Tremblay sera de 5 800 $ au terme du contrat.

> Québec, le 1er juin 20X0
>
> Je promets de rembourser à J. Gagnon dans un an exactement, le capital emprunté d'une valeur de ____/100
> plus les intérêts y afférents, au taux nominal composé annuellement de 16 %.
>
> *Monsieur Tremblay*
>
> ______________________
>
> (*signature*)

b) Si monsieur Tremblay emprunte le montant trouvé en a) et qu'on lui demande plutôt un intérêt nominal de 18 % composé mensuellement, quel montant aura-t-il déboursé au terme du contrat?

15. Un père déposa 5 000 $ dans un compte d'épargne à la naissance de sa fille. Si ce compte devait lui rapporter un intérêt moyen de 14 % composé mensuellement, de combien sa fille disposerait-elle à son dix-huitième anniversaire?

16. Lequel des taux suivants préféreriez-vous si vous deviez effectuer un emprunt :

a) un taux de 18,25 % capitalisé semi-annuellement?

b) un taux de 18,5 % capitalisé trimestriellement?

c) un taux de 18 % capitalisé mensuellement?

d) un taux de 17,8 % capitalisé quotidiennement?

17. Pour chacun des trois taux nominaux suivants, calculez le taux périodique et le taux effectif correspondants :

a) un taux nominal de 17 % capitalisé annuellement;

b) un taux nominal de 16,2 % capitalisé quotidiennement;

c) un taux nominal de 16,3 % capitalisé semestriellement.

18. Pour chacun des trois taux périodiques suivants, calculez le taux nominal et le taux effectif correspondants :

a) un taux périodique de 1,25 % par mois;

b) un taux périodique de 0,042 % par jour;

c) un taux périodique de 8,5 % par six mois.

19. Pour chacun des trois taux effectifs suivants, calculez le taux nominal et le taux périodique correspondants :

a) un taux effectif de 19,5 % comportant une période de capitalisation par année;

b) un taux effectif de 16,4 % comportant douze périodes de capitalisation par année;

c) un taux effectif de 12,9 % comportant quatre périodes de capitalisation par année.

Les réponses

1. L'utilité est définie comme la satisfaction que l'on retire de la détention d'un bien ou de son utilisation. Elle mesure la valeur économique d'un bien et se traduit monétairement la plupart du temps.

2. L'intérêt est le lien qui permet un transfert de richesse entre l'épargne du prêteur et la consommation de l'emprunteur. Pour l'emprunteur, l'intérêt représente le prix à payer pour ne pas attendre à plus tard afin de bénéficier immédiatement d'une opportunité. Pour le prêteur, l'intérêt représente la compensation reçue pour reporter une opportunité à un moment ultérieur.

3. Le taux d'intérêt qui prévaudra sur le marché sera celui qui fera en sorte que la quantité demandée égalera la quantité offerte et on dira qu'il s'agit du taux d'équilibre.

4. Le premier facteur est le *report de la consommation*. Le prêteur exige une prime de l'emprunteur afin de compenser le sacrifice qu'il doit faire en prêtant ses fonds, se privant ainsi d'une jouissance immédiate de la somme prêtée.

Le deuxième facteur est la *perte du pouvoir d'achat*. La perte du pouvoir d'achat est liée au phénomène de l'inflation : plus un achat est reporté dans le temps, plus la quantité de biens obtenus pour un même montant d'argent diminue. Le prêteur exige donc une prime qui lui permettra de conserver le même pouvoir d'achat entre le moment où il avance ses fonds et le moment où il sera remboursé.

Le troisième facteur est le *risque de non-remboursement*. À partir du moment où le prêteur avance une somme d'argent, la certitude de pouvoir un jour utiliser cette somme dépendra de la solvabilité de l'emprunteur. Il existe donc un risque de ne jamais récupérer cet argent, puisque, entre le moment où l'argent est prêté et le moment où il devrait être remboursé, plusieurs événements peuvent survenir empêchant l'emprunteur de s'acquitter de ses obligations. Le prêteur doit donc compenser ce risque.

5. – Il s'agit d'un montant toujours égal de période en période.
– Sa détermination est toujours basée sur le capital initial.
– Les intérêts sont toujours versés à la fin de chaque période.
– Le montant dû au prêteur est toujours limité au capital initial.

6. – Les intérêts se calculent sur le solde du début de chaque période.
– Les intérêts s'additionnent au capital à la fin de chaque période.
– Le solde du début de chaque période s'accroît, de période en période, du montant d'intérêt dégagé pendant chaque période.
– Le prêteur récupère son capital et les intérêts accumulés à l'échéance finale.

7. Le *taux d'intérêt nominal* est le taux d'intérêt nommé, celui qu'on annonce ou qu'on affiche. Par définition, le taux nominal est un taux annuel.

Le *taux d'intérêt périodique* est celui qui correspond à chaque période de capitalisation. Si nous avons un taux nominal de 10 % capitalisé semestriellement, par exemple, alors le taux d'intérêt périodique est un taux semestriel de 10 %/2 = 5 %. Le taux d'intérêt périodique (i) s'obtient en divisant le taux nominal (I) par le nombre de périodes de capitalisation (m), à l'intérieur d'une même année.

Le *taux d'intérêt effectif* est un taux annuel par définition. Il exprime sur une base annuelle, et indépendamment de la fréquence de capitalisation, le taux effectivement obtenu durant l'année. Tous les taux, dont la périodicité est différente, peuvent, une fois leur équivalent annuel effectif déterminé, être comparés entre eux sur une base commune annuelle. Donc, le taux effectif permet la comparaison entre divers taux d'intérêt ayant des périodicités différentes.

8. La *capitalisation* consiste à projeter dans le futur la valeur d'une somme d'argent qu'on a en main aujourd'hui. Par contre, l'*actualisation* consiste à ramener vers aujourd'hui la valeur future d'une somme d'argent. La différence entre les principes d'actualisation et de capitalisation est le sens du déplacement temporel à partir d'un point de départ prédéterminé.

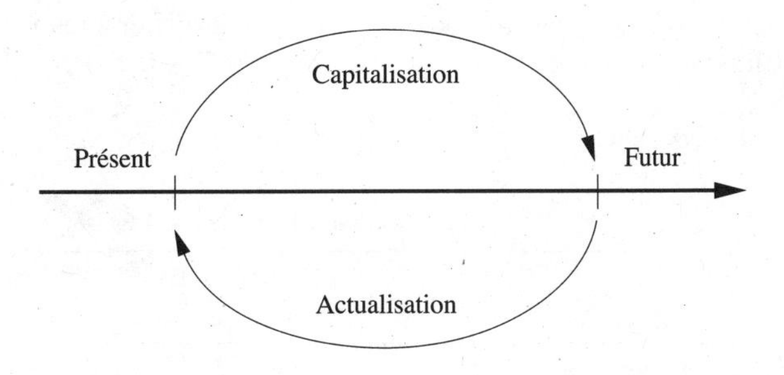

FIGURE 2.6
Axe temporel

Les solutions

1.

a) Il s'agit de trouver la valeur du facteur $(1 + i)^n$ pour différentes valeurs de i et de n. Par exemple, lorsque $i = 10\ \%$ et $n = 5$, alors $(1 + i)^n = (1 + 0{,}10)^5 = 1{,}61051$.

Table financière complète

Valeur accumulée (future) de 1 $

Période (*n*)	**Taux (*i*)**			
	0 %	1 %	10 %	100 %
1	1,00000	1,01000	1,10000	2,00000
1,5	1,00000	1,01504	1,15369	2,82843
2	1,00000	1,02010	1,21000	4,00000
5	1,00000	1,05101	1,61051	32,00000
30	1,00000	1,34785	17,44940	1 073 741 824

b) On les appelle les facteurs d'accumulation de 1 $.

c) *FV* = *PV*(*facteur d'accumulation sur* 30 *périodes à* 10 % *par période*)

FV = *PV*(17,44940)

FV = 5 730,86 × 17,44940

FV = 100 000 $

d) *FV* = *PV* × *facteur* (à déterminer)

facteur = *FV*/*PV* = 1 744,94/100 = 17,44940

Dans la table, on trouve ce facteur au point de rencontre des 30 périodes et du taux de 10 %.

2.

a) Il s'agit de trouver la valeur du facteur $(1 + i)^{-n}$ pour différentes valeurs de i et de n. Par exemple, pour $n = 20$ et $i = 10$ %, on aura :

$PV = 1(1 + 0{,}10)^{-20}$

$PV = 1(0{,}1486)$

$PV = 0{,}1486$ $

Table financière complète

Valeur actuelle de 1 $ reçu en fin de période

Période (n)	**Taux (i)**			
	1 %	10 %	15 %	20 %
1	0,9901	0,9091	0,8696	0,8333
5	0,9515	0,6209	0,4972	0,4019
20	0,8195	0,1486	0,0611	0,0261
50	0,6080	0,0085	0,0009	0,0001

b) Le facteur d'actualisation d'un montant unique.

3.

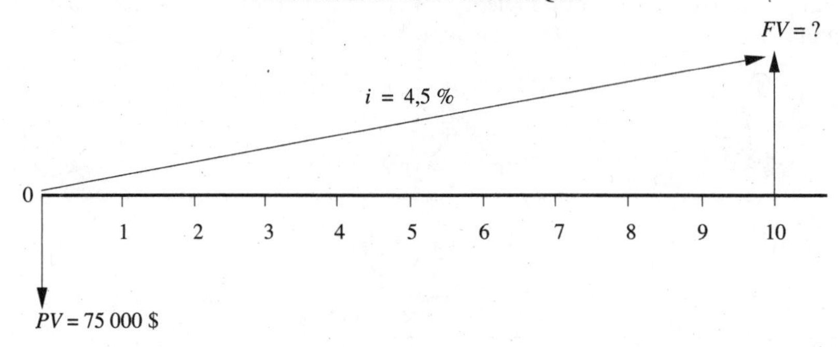

FORMULATION ALGÉBRIQUE

FV_n = à déterminer

PV = 75 000 $

i = 4,5 %

n = 10

$FV_n = PV(1 + i)^n$

$FV_{10} = 75\,000(1 + 0{,}045)^{10}$

$FV_{10} = 75\,000(1{,}553)$

$FV_{10} = \underline{\underline{-\ 116\,472{,}71}}\ \$$

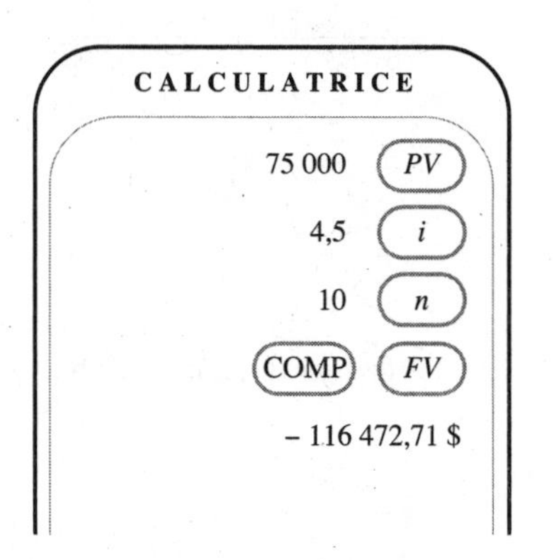

Le prix payé pour la maison sera donc de 116 472,70 $. Le signe négatif (–), sur la calculatrice, signifie qu'il s'agit d'une sortie de fonds (un déboursé).

4.

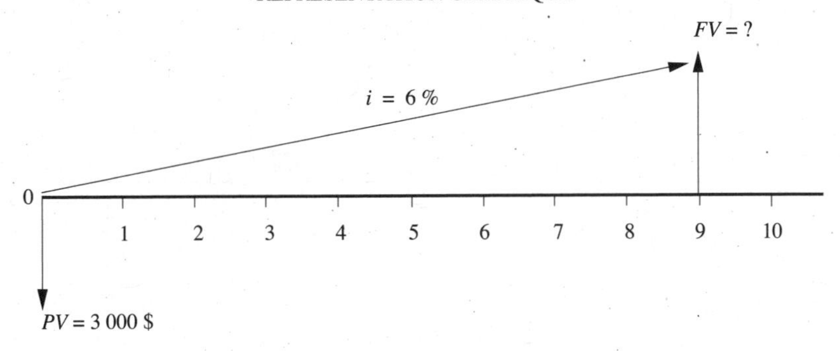

FORMULATION ALGÉBRIQUE

$FV_{N \times m}$ = à déterminer

PV = 3 000 $

I = 12 %

m = 2

N = 4,5

$$FV_{N \times m} = PV(1 + I/m)^{N \times m}$$

$$FV_{4,5 \times 2} = 3\,000(1 + 0{,}12/2)^{4,5 \times 2}$$

$$FV_9 = 3\,000(1{,}6895)$$

$$FV_9 = \underline{\underline{5\,068{,}44\ \$}}$$

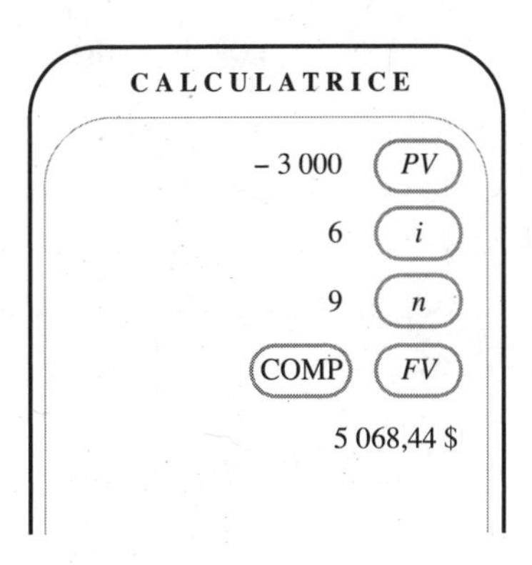

À la sortie de fonds de 3 000 $ liée au placement (signe négatif (–)) sera associée une entrée de fonds (signe positif (+)) de 5 068,44 $, 4,5 années plus tard.

Note : Par convention, on attribuera un signe négatif (–) aux sorties de fonds et un signe positif (+) aux entrées de fonds. Sur votre calculatrice, vous pouvez inscrire les nombres négatifs en utilisant la touche (+/–) après avoir terminé la saisie des différents chiffres d'un nombre. Par exemple, pour saisir le nombre – 3 000, vous devrez appuyer sur (3) (0) (0) (0) (+/–). Afin d'éviter d'alourdir la présentation, l'emploi de la touche (+/–) ne sera pas explicitement indiqué dans la suite du document.

5.

REPRÉSENTATION GRAPHIQUE

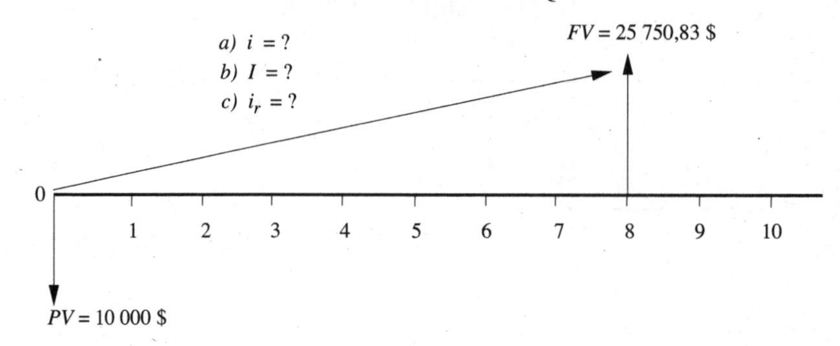

FORMULATION ALGÉBRIQUE

$$PV_{N \times m} = FV(1 + I/m)^{-N \times m}$$

$$10\,000 = 25\,750{,}83(1 + I/m)^{-8 \times 4}$$

Comme $I/m = i$ = taux périodique, alors :

$$10\,000 = 25\,750{,}83(1 + i)^{-32}$$

a) $i = \left[\dfrac{10\,000}{25\,750{,}83}\right]^{-1/32} - 1 = \underline{\underline{3\ \%\text{ par trimestre}}}$

b) $I = i \times m$

$I = 3\ \% \times 4$

$I = \underline{\underline{12\ \%}}$

c) $(1 + i_r) = (1 + i)^m$

$i_r = (1 + i)^m - 1$

$i_r = (1 + 0{,}03)^4 - 1 = \underline{\underline{12{,}55\ \%}}$

CALCULATRICE

i : – 10 000 (PV)
25 750,83 (FV)
32 (n)
(COMP) (i)
3 %

I : 3 × 4 = 12 %

i_r : 4 (2ndF) (EFF) 12 (=)
12,55 %

La fonction (EFF) sert à convertir un taux nominal en un taux effectif équivalent.

6.

a)

REPRÉSENTATION GRAPHIQUE

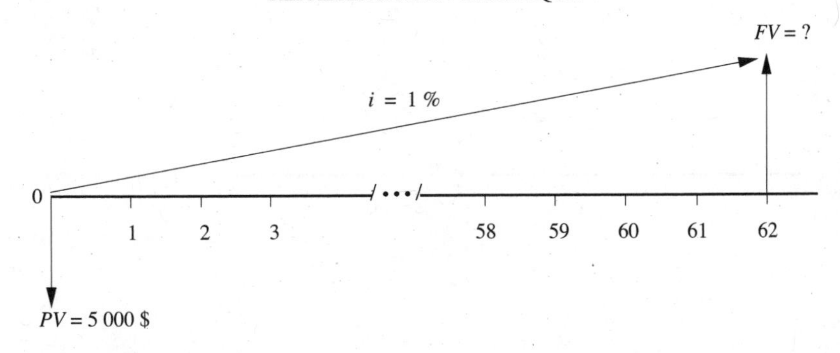

FORMULATION ALGÉBRIQUE

$FV_{N \times m}$ = à déterminer

PV = 5 000 $

I = 12 %

m = 12

N = 5,16667

N = 5 ans et 2 mois (2/12 d'année)

$FV_{N \times m} = PV(1 + I/m)^{N \times m}$

$FV_{12 \times 5,16667} = 5\,000(1 + 0,12/12)^{12 \times 5,16667}$

$FV = 5\,000(1,01)^{62}$

FV = 9 266,06 $

On aurait donc touché un intérêt total de $FV - PV$, soit

9 266,06 – 5 000 = 4 266,06 $

CALCULATRICE

– 5 000 (PV)

1 (i)

62 (n)

(COMP) (FV)

9 266,06 $

$FV - PV$ = *intérêt*

9 266,06 – 5 000 = 4 266,06 $

b) REPRÉSENTATION GRAPHIQUE

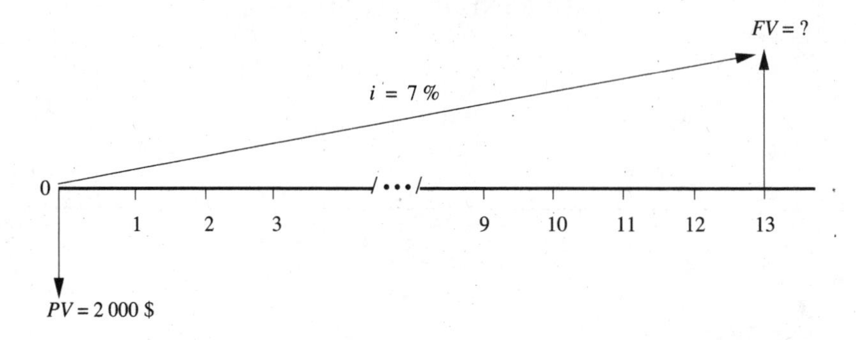

FORMULATION ALGÉBRIQUE

$FV_{N \times m}$ = à déterminer

PV = 2 000 $

I = 14 %

m = 2

N = 78/12 années = 6,5 années

$FV_{N \times m} = PV(1 + I/m)^{N \times m}$

Pour un intérêt total de :

$FV_{6,5 \times 2} = 2\,000(1 + 0,14/2)^{6,5 \times 2}$

$4\,819,69 - 2\,000 = \underline{\underline{2\,819,69}}$ $

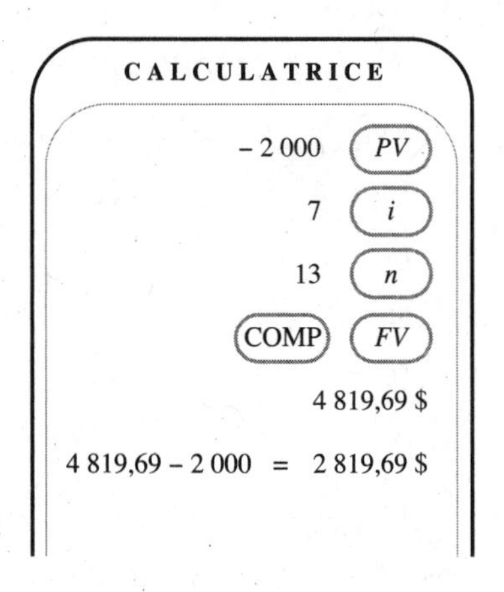

7.

REPRÉSENTATION GRAPHIQUE

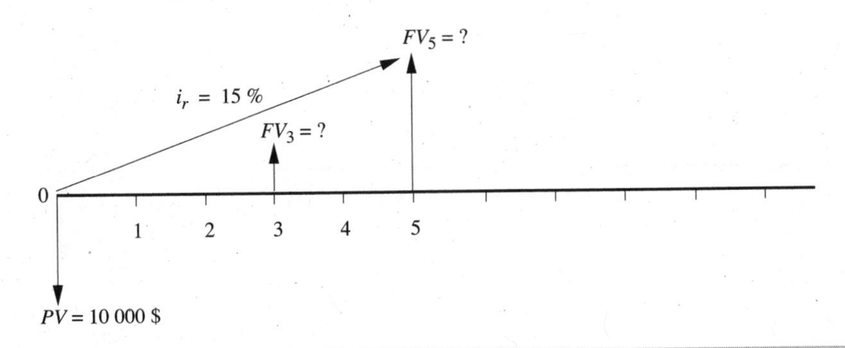

Il s'agit de calculer la valeur accumulée après trois ans et après cinq ans et de faire la différence entre les deux valeurs.

FORMULATION ALGÉBRIQUE

intérêt des deux dernières années $= FV_5 - FV_3$

$= 10\ 000(1 + 0{,}15)^5 - 10\ 000(1 + 0{,}15)^3$

$= 20\ 113{,}57 - 15\ 208{,}75$

$= \underline{\underline{4\ 904{,}82}}\ \$$

CALCULATRICE

FV_3 :

- 10 000 (PV)
- 15 (i)
- 3 (n)
- (COMP) (FV)

15 208,75 $

FV_5 :

- 10 000 (PV)
- 15 (i)
- 5 (n)
- (COMP) (FV)

20 113,57 $

20 113,57 – 15 208,75 = 4 904,82 $

8.

a) REPRÉSENTATION GRAPHIQUE

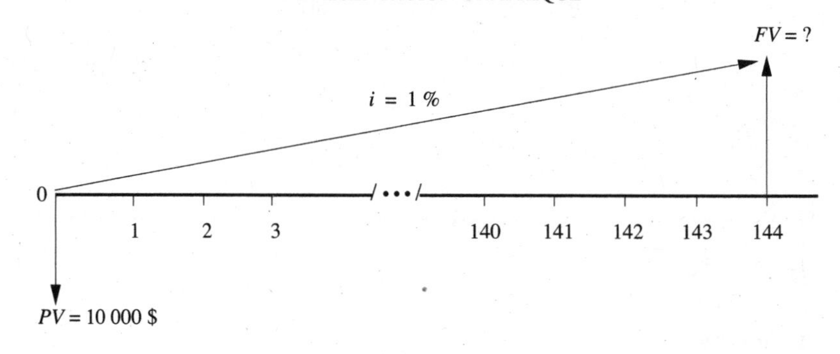

FORMULATION ALGÉBRIQUE

$FV_{N \times m}$ = à déterminer

PV = 10 000 $

I = 12 %

m = 12

N = 12

$FV_{N \times m} = PV(1 + I/m)^{N \times m}$

$FV_{12 \times 12} = 10\,000(1 + 0{,}12/12)^{12 \times 12}$

$FV_{144} = \underline{\underline{41\,906{,}16}}$ $

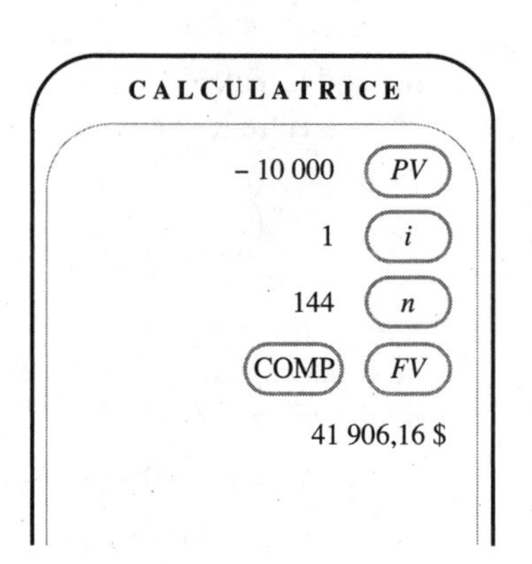

REPRÉSENTATION GRAPHIQUE

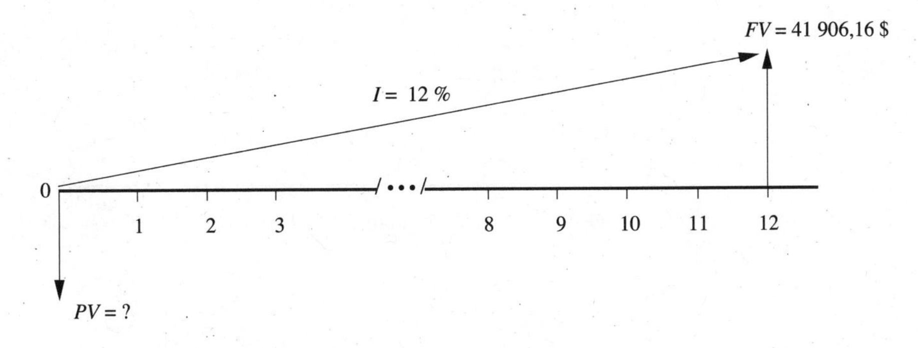

FORMULATION ALGÉBRIQUE

$$FV_n = PV(1 + I \times n)$$

$$41\,906{,}16 = PV(1 + 0{,}12 \times 12)$$

$$41\,906{,}16 = PV(1 + 1{,}44)$$

$$PV = \frac{41\,906{,}16}{2{,}44}$$

$$PV = \underline{\underline{17\,174{,}66}}\ \$$$

9.

REPRÉSENTATION GRAPHIQUE

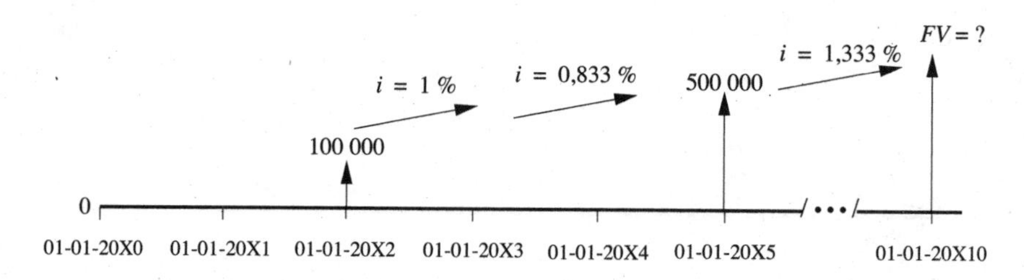

FORMULATION ALGÉBRIQUE

Parce que le taux d'intérêt varie pendant la période de capitalisation, il faut effectuer trois calculs :

On calcule d'abord la valeur future du premier montant :

FV au 01-01-20X3 $= 100\,000(1 + 0{,}12/12)^{1 \times 12}$

$= 112\,682{,}50$ \$

FV au 01-01-20X5 $= FV_{20X3}(1 + 0{,}10/12)^{2 \times 12}$

$= 112\,682{,}50(1{,}00833)^{24}$

$= 137\,505{,}79$ \$

FV au 01-01-20X10 $= FV_{20X5}(1 + 0{,}16/12)^{5 \times 12}$

$= 137\,505{,}79(1{,}01333)^{60}$

$= \underline{\underline{304\,351{,}19}}$ \$

Ensuite, on calcule la valeur future du deuxième montant :

FV au 01-01-20X10 $= 500\,000(1 + 0{,}16/12)^{5 \times 12}$

$= 500\,000(1{,}01333)^{60}$

$= \underline{\underline{1\,106\,684{,}99}}$ \$

Finalement, la valeur accumulée totale sera de :

304 351,19 + 1 106 684,99 = $\underline{\underline{1\,411\,036{,}18}}$ \$

CALCULATRICE

– 100 000	PV
1	i
12	n
COMP	FV
112 682,50 \$	
– 112 682,50	PV
0,833	i
24	n
COMP	FV
137 505,79 \$	
– 137 505,79	PV
1,333	i
60	n
COMP	FV
304 351,19 \$	

10. La personne de 40 ans placera donc un montant de (χ) dollars à 15 % sur 25 ans alors que celle de 46 ans placera un montant de (100 000 – χ) dollars à 15 % sur 19 ans, de sorte que :

$$\chi(1{,}15)^{25} = (100\,000 - \chi)\,(1{,}15)^{19}$$

En manipulant cette équation pour isoler χ, on aura :

$$\chi(32{,}9190) = (100\,000 - \chi)\,(14{,}2318)$$

$$32{,}9190\,\chi = 1\,423\,180 - 14{,}2318\,\chi$$

$$32{,}9190\,\chi + 14{,}2318\,\chi = 1\,423\,180$$

$$47{,}1508\,\chi = 1\,423\,180$$

$$\chi = \frac{1\,423\,180}{47{,}1508}$$

$$\chi = \underline{\underline{30\,183{,}58}}\ \$\ \text{(pour la personne de 40 ans)}$$

$$100\,000 - 30\,183{,}52 = \underline{\underline{69\,816{,}42}}\ \$\ \text{(pour la personne de 46 ans)}$$

On aurait pu considérer que c'est la personne de 46 ans qui place un montant de (χ) dollars sur 19 ans, et que la personne de 40 ans place un montant de (100 000 – χ) dollars sur 25 ans. Le résultat final demeurera le même :

$$\chi(1{,}15)^{19} = (100\,000 - \chi)\,(1{,}15)^{25}$$

$$\chi(14{,}2318) = (100\,000 - \chi)\,(32{,}9190)$$

$$14{,}2318\,\chi = 3\,291\,900 - 32{,}9190\,\chi$$

$$14{,}2318\,\chi + 32{,}9190\,\chi = 3\,291\,900$$

$$47{,}1508\,\chi = 3\,291\,900$$

$$\chi = \frac{3\,291\,900}{47{,}1508}$$

$$\chi = \underline{\underline{69\,816{,}42}}\ \$\ \text{(pour la personne de 46 ans)}$$

$$(100\,000 - \chi) = \underline{\underline{30\,183{,}58}}\ \$\ \text{(pour la personne de 40 ans)}$$

11. Les taux de 13,75 %, 14,25 % et 14,5 % sont des taux nominaux (I) qu'on ne peut comparer. Les seuls taux qu'on peut comparer sont les taux effectifs (i_r).

FORMULATION ALGÉBRIQUE

Il faut d'abord trouver les taux périodiques (i) :

$i_{Nationale}$ = I/m
= 13,75 %/365
= 0,03767 % par jour

$i_{Montréal}$ = I/m
= 14,25 %/2
= 7,125 % par six mois

i_{Caisse} = I/m
= 14,5 %/1
= 14,5 % par an

Ensuite, les taux effectifs : $i_r = (1 + i)^m - 1$

$i_{rNationale}$ = $(1 + 0{,}0003767)^{365} - 1$
= 14,73719 %

$i_{rMontréal}$ = $(1 + 0{,}07125)^{2} - 1$
= 14,75766 %

$i_{rCaisse}$ = $(1 + 0{,}145)^{1} - 1$
= 14,5 %

CALCULATRICE

Banque Nationale :

365 (2ndF) (EFF) 13,75 (=)
14,73719 %

Banque de Montréal :

2 (2ndF) (EFF) 14,25 (=)
14,75766 %

Caisse populaire :

1 (2ndF) (EFF) 14,5 (=)
14,5 %

Réponse : il faudrait donc choisir la Banque de Montréal.

12.

a) Il faut trouver la valeur de I dans l'équation suivante de la valeur accumulée d'un montant placé à intérêt simple :

$$FV_n = PV(1 + I \times n)$$

$$(79,95 - 19,95 + 2) = 60(1 + I \times 0,25)$$

$$62 = 60 + 60(I \times 0,25)$$

$$2 = 60(I \times 0,25)$$

$$\frac{2}{60} = 0,25\text{ I}$$

$$\frac{0,03333}{0,25} = I$$

$$\frac{0,03333}{0,25} = \underline{\underline{13,33\ \%}}$$

b) Il faut trouver la valeur de I dans l'équation :

$$FV_{N \times m} = PV(1 + I/m)^{N \times m}$$

$$62 = 60(1 + I/12)^{0,25 \times 12}$$

$$\frac{62}{60} = (1 + I/12)^3$$

$$\left[\frac{62}{60}\right]^{1/3} = (1 + I/12)$$

$$\left[\frac{62}{60}\right]^{0,3333} - 1 = \frac{I}{12} = \underline{\underline{0,01099\ \%}}$$

$$I = \underline{\underline{13,19\ \%}}$$

Rappel : $\sqrt[N]{X} = X^{1/N}$

13.

a)
$$FV = PV(1 + I \times n) \text{ (où } n \text{ est l'inconnue)}$$
$$2 = 1(1 + 0{,}05 \times n)$$
$$2 = 1 + 0{,}05\,n$$
$$1 = 0{,}05\,n$$
$$n = \frac{1}{0{,}05} = \underline{\underline{20 \text{ ans}}}$$

b)

2	(*FV*)
− 1	(*PV*)
5	(*i*)
(COMP)	(*n*) = 14,2 ans

c) Cela prend moins de temps pour doubler un montant lorsque l'intérêt est composé parce que le solde sur lequel est calculé l'intérêt est gonflé de l'intérêt accumulé durant la période précédente.

14.

a) REPRÉSENTATION GRAPHIQUE

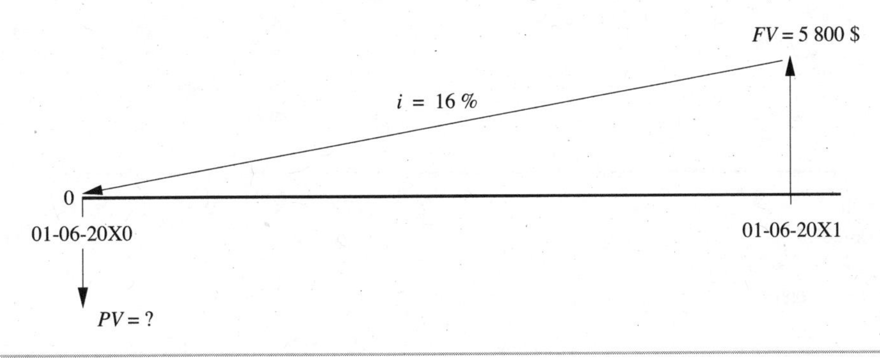

Il s'agit de trouver la valeur actuelle d'un montant futur de 5 800 $ et portant un intérêt composé de 16 %.

FORMULATION ALGÉBRIQUE

PV = à déterminer

FV = 5 800 $

I = 16 %

m = 1

N = 1

$PV = FV_n(1 + i)^{-n}$

$PV = 5\ 800(1 + 0{,}16)^{-1}$

$PV = \underline{\underline{5\ 000}}$ $

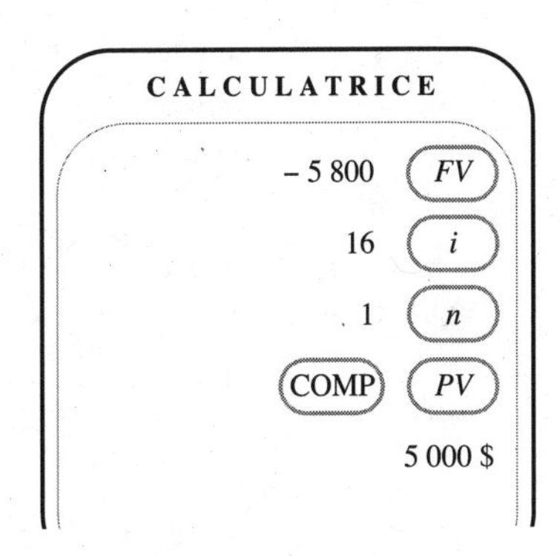

b) REPRÉSENTATION GRAPHIQUE

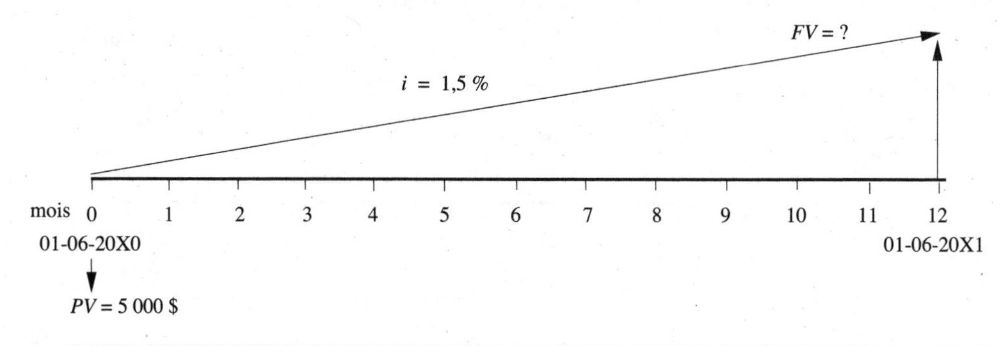

Il s'agit de trouver la valeur future du montant de 5 000 $ emprunté sur un an à un taux de 18 % composé mensuellement.

FORMULATION ALGÉBRIQUE

$FV_{N \times m}$ = à déterminer

PV = 5 000 $

I = 18 %

m = 12

N = 1

$$FV_{N \times m} = PV\left[1 + \frac{I}{m}\right]^{N \times m}$$

$$FV_{12} = 5\,000\left[1 + \frac{0{,}18}{12}\right]^{1 \times 12}$$

$$FV_{12} = \underline{\underline{5\,978{,}09}}\ \$$$

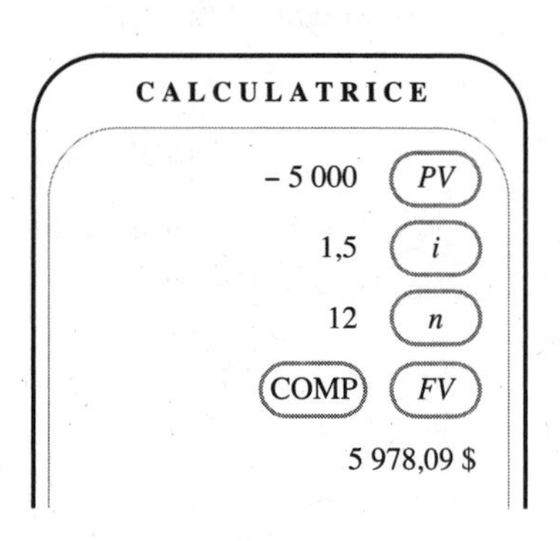

15.

REPRÉSENTATION GRAPHIQUE

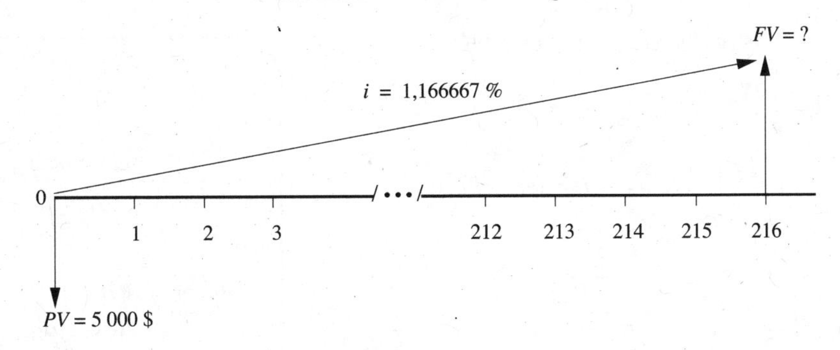

FORMULATION ALGÉBRIQUE

$FV_{N \times m}$ = à déterminer

PV = 5 000 $

I = 14 %

m = 12

N = 18

$FV_{N \times m} = PV(1 + I/m)^{N \times m}$

$FV_{216} = 5\,000(1 + 0{,}14/12)^{12 \times 18}$

$FV_{216} = \underline{\underline{61\,243{,}10}}$ $

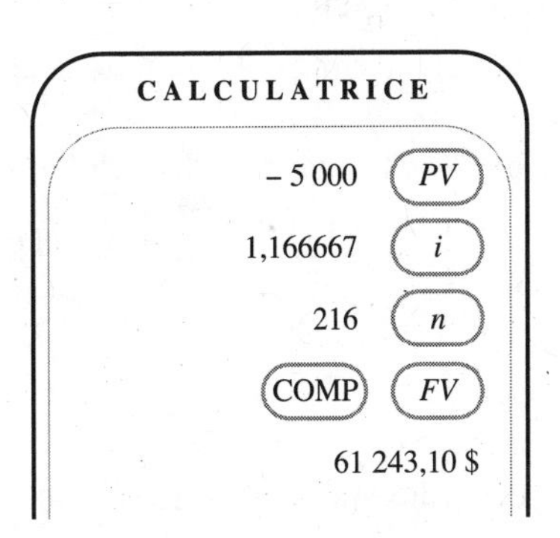

16. Il s'agit tout simplement de les comparer sur une même échelle, soit sur une base annuelle, selon le taux effectif.

FORMULATION ALGÉBRIQUE

Si $\left[1 + \frac{I}{m}\right]^m = (1 + i_r)$

Alors $\left[1 + \frac{I}{m}\right]^m - 1 = i_r = \textit{taux effectif}$

a) Taux semi-annuel de 18,25 % :

$\left[1 + \frac{0,1825}{2}\right]^2 = (1 + i_r)$

$0,1908266 = i_r$

$i_r = \underline{\underline{19,08266}}\ \%$

b) Taux trimestriel de 18,5 % :

$\left[1 + \frac{0,1850}{4}\right]^4 = (1 + i_r)$

$0,19823479 = i_r$

$i_r = \underline{\underline{19,82346}}\ \%$

c) Taux mensuel de 18 % :

$\left[1 + \frac{0,18}{12}\right]^{12} = (1 + i_r)$

$0,1956 = i_r$

$i_r = \underline{\underline{19,5618}}\ \%$

d) Taux quotidien de 17,8 % :

$\left[1 + \frac{0,178}{365}\right]^{365} = (1 + i_r)$

$0,1947734 = i_r$

$i_r = \underline{\underline{19,47734}}\ \%$

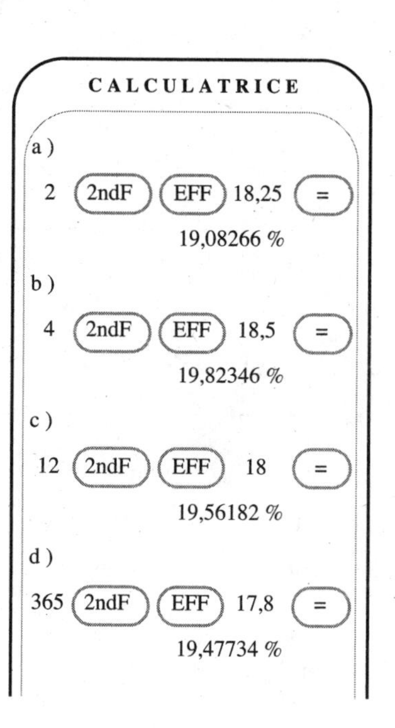

Réponse : si nous empruntions, le taux le plus avantageux serait 18,25 %, capitalisé semi-annuellement.

17.

FORMULATION ALGÉBRIQUE

Calcul des taux périodiques :

$i = I/m$

a) $0{,}17/1 = 0{,}17$ par année
$= \underline{17\ \%\ \text{par année}}$

b) $0{,}162/365 = 0{,}000444$ par jour
$= \underline{0{,}0444\ \%\ \text{par jour}}$

c) $0{,}163/2 = 0{,}0815$ par six mois
$= \underline{8{,}15\ \%\ \text{par six mois}}$

Calcul des taux effectifs :

$$\text{Si } \left[1 + \frac{I}{m}\right]^m = (1 + i_r)$$

$$\text{Alors } \left[1 + \frac{I}{m}\right]^m - 1 = i_r = \textit{taux effectif}$$

a) $(1 + 0{,}17/1)^1 = (1 + i_r)$
$0{,}17 = i_r$
$\underline{17\ \%} = i_r$

b) $(1 + 0{,}162/365)^{365} = (1 + i_r)$
$0{,}17581798 = i_r$
$\underline{17{,}581798\ \%} = i_r$

c) $(1 + 0{,}163/2)^2 = (1 + i_r)$
$0{,}16964225 = i_r$
$\underline{16{,}964225\ \%} = i_r$

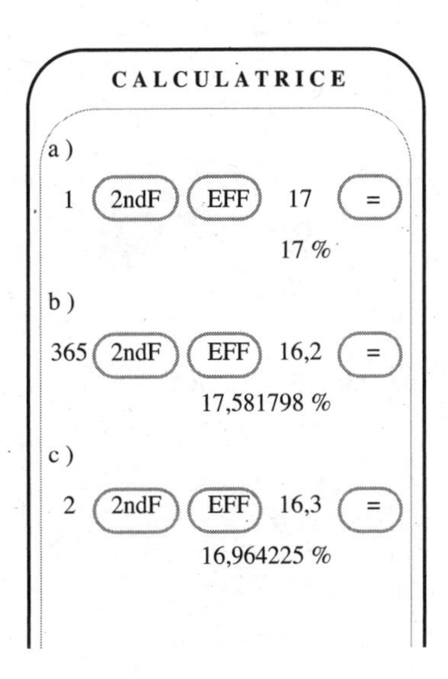

18.

FORMULATION ALGÉBRIQUE

Calcul des taux nominaux :

$I \quad = \quad i \times m$

a) 1,25 % × 12 = <u>15</u> %

b) 0,042 % × 365 = <u>15,33</u> %

c) 8,5 % × 2 = <u>17</u> %

Calcul des taux effectifs :

Si $\left[1 + \frac{I}{m}\right]^m = (1 + i_r)$

Alors $\left[1 + \frac{I}{m}\right]^m = i_r = \textit{taux effectif}$

a) $(1 + 0{,}15/12)^{12} = (1 + i_r)$

$0{,}16075452 = i_r$

<u>16,075452</u> % $= i_r$

b) $(1 + 0{,}1533/365)^{365} = (1 + i_r)$

$0{,}16563711 = i_r$

<u>16,563711</u> % $= i_r$

c) $(1 + 0{,}17/2)^2 = (1 + i_r)$

$0{,}177225 = i_r$

<u>17,7225</u> % $= i_r$

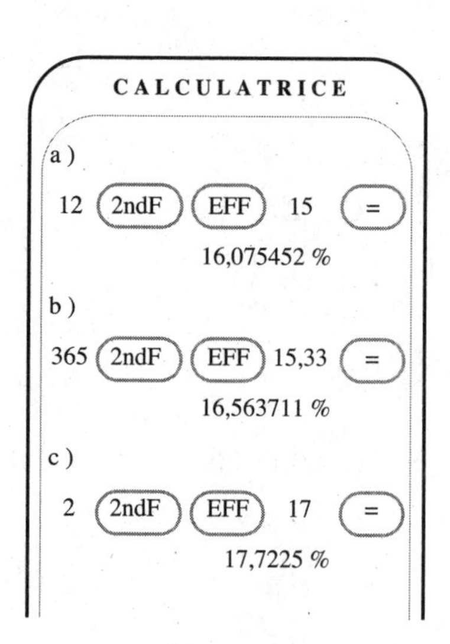

19.

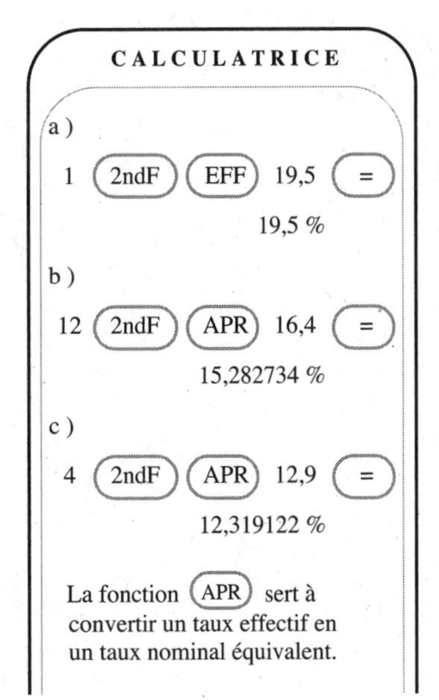

FORMULATION ALGÉBRIQUE

Calcul des taux nominaux :

Si

$(1 + I/m)^m = (1 + i_r)$

alors

$I/m = (1 + i_r)^{1/m} - 1$

$I = [(1 + i_r)^{1/m} - 1] \times m$

a) $I = [(1 + 0{,}195)^{1/1} - 1] \times 1$

$I = 0{,}195$

$I = \underline{\underline{19{,}5}}$ %

b) $I = [(1 + 0{,}164)^{1/12} - 1] \times 12$

$I = 0{,}15282734$

$I = \underline{\underline{15{,}282734}}$ %

c) $I = [(1 + 0{,}129)^{1/4} - 1] \times 4$

$I = 0{,}12319122$

$I = \underline{\underline{12{,}319122}}$ %

Calcul des taux périodiques :

$i = I/m$

a) i = 0,195/1 = 0,195 par année = <u>19,5 % par année</u>

b) i = 0,1528/12 = 0,01273 par mois = <u>1,273 % par mois</u>

c) i = 0,1232/4 = 0,0308 par trois mois = <u>3,08 % par trois mois</u>

Chapitre 3

Les annuités

Les questions

1. Expliquez ce qu'est une annuité.

2. Reliez les principes de capitalisation et d'actualisation à la valeur actuelle et à la valeur future d'une annuité.

3. Quelles sont les informations nécessaires pour déterminer la valeur future ou actuelle d'une annuité?

4. Distinguez, à l'aide de graphiques, les annuités de début de période et les annuités de fin de période.

5. Lorsque vous calculez la valeur actuelle ou future d'une annuité en considérant chaque flux monétaire comme un montant unique, de quel principe devez-vous tenir compte lors de la sommation?

Les problèmes

1. Vous avez un montant de 25 000 $ que vous pouvez investir à un taux de 11 % capitalisé trimestriellement. Dans combien de temps aurez-vous accumulé la somme de 45 408,83 $?

2. Un client d'une institution financière a laissé fructifier un montant de 200 000 $ pendant dix ans et a obtenu à l'échéance une somme de 465 000 $. Compte tenu que cette institution a capitalisé semestriellement les intérêts, déterminez le taux d'intérêt nominal qui a été crédité à ce client.

3. Vous avez besoin de 20 000 $ pour aménager le sous-sol de votre maison. La caisse populaire consent à vous les prêter à un taux de 15 % capitalisé trimestriellement, tandis qu'une banque à charte accepte de vous les prêter à un taux effectif de 16,5 %. À quel endroit est-il plus avantageux d'emprunter? Justifiez votre réponse.

4. Une entreprise projette un important investissement en l'an 20X6 et veut, dans cette optique, effectuer plusieurs placements successifs :

Dates prévues des placements	*Montants prévus*
01-01-20X1	50 000 $
01-01-20X2	10 000 $
01-01-20X3	15 000 $

On prévoit que le taux d'intérêt sera en moyenne de 8 % capitalisé annuellement. Calculez le capital accumulé au 1er janvier 20X6.

5. Un immeuble locatif est mis en vente par une maison de courtage. Les trois offres suivantes sont faites :

- offre A : 100 000 $ payables comptant;
- offre B : 65 000 $ payables comptant et 50 000 $ payables dans deux ans;
- offre C : 40 000 $ payables comptant, 25 000 $ payables dans un an, 20 000 $ dans deux ans et 40 000 $ dans quatre ans.

Sachant que le propriétaire est en mesure de placer son argent à un taux de 9 % capitalisé semestriellement, quelle est la meilleure offre et de combien est-elle supérieure à la deuxième?

6. À cause de l'augmentation prévue de son chiffre d'affaires, une entreprise projette de construire dans quatre ans un entrepôt supplémentaire dont le coût est estimé à 125 000 $. Pour disposer des fonds nécessaires, le contrôleur de l'entreprise désire ouvrir un compte spécial dans une société de fiducie dans lequel il désire verser quatre montants annuels au début de chacune des années débutant aujourd'hui même. Considérant que le taux d'intérêt sera de 7 % capitalisé annuellement, quelle doit être la valeur de ce versement?

7. Entre les deux possibilités suivantes, déterminez celle qui maximise votre richesse et indiquez la différence entre les deux possibilités, compte tenu d'un taux de 10 % capitalisé semestriellement :

a) 4 000 $ comptant et 1 500 $ dans deux ans;

b) 700 $ comptant et 600 $ à la fin de chaque semestre pendant quatre ans et demi.

8. La compagnie XYZ inc. vient de se porter acquéreur d'un équipement spécialisé qui lui permettra d'accroître sa production. La compagnie vendeuse accepte de financer cet achat à un taux d'intérêt de 12 % effectif selon la série de versements suivante : 4 500 $ comptant et une annuité de cinq versements annuels de 12 500 $ débutant un an après la date de vente. Calculez le prix de vente de cet équipement.

9. À la suite du décès du propriétaire d'une petite entreprise familiale, vous êtes engagé comme exécuteur testamentaire pour régler les problèmes de la succession. Le premier problème à résoudre a trait à un emprunt de 70 000 $ contracté il y a cinq ans pour acheter de l'équipement. Les conditions initiales du prêt étaient les suivantes :

- taux du prêt : 14 % capitalisé semestriellement;
- durée du prêt : 15 ans (versements de début de période tous les six mois);
- taux d'intérêt renégociable après cinq ans pour une période de dix ans.

Après discussion avec le chef du service du crédit de la société prêteuse, vous convenez de renouveler le prêt au taux de 13 % capitalisé trimestriellement et d'effectuer pour les dix prochaines années des versements trimestriels de fin de période. Quel sera le montant des paiements trimestriels que la succession devra effectuer?

10. Vous avez actuellement 25 000 $ d'accumulés dans votre régime de retraite. Vous pensez prendre votre retraite dans 20 ans et vous désirez vous assurer un revenu annuel de 35 000 $ pendant 25 ans après votre retraite. Ce montant de 35 000 $ sera encaissé au début de chaque année.

Combien devez-vous déposer à la fin de chaque année d'ici à votre retraite pour atteindre votre objectif? Le taux de rendement effectif de votre régime est de 11 %.

11. Pour les six prochaines années, vous désirez assurer une allocation mensuelle (fin de mois) à vos parents. Cette allocation devrait être de 500 $ par mois pour les deux premières années et de 750 $ par mois pour les quatre années suivantes. Combien devez-vous déposer aujourd'hui dans un compte rapportant un taux effectif de 13,5 % pour les deux premières années et un taux nominal de 14,75 % capitalisé semestriellement pour les quatre années suivantes, afin de pouvoir verser les allocations prévues?

12. Au début de l'année 20X0, vous investissez un montant de 20 000 $ et vous songez par la suite à effectuer des placements de sommes égales chaque année, sauf la première année où vous verserez deux fois la somme normalement investie chaque année. Sachant que votre objectif est de vous constituer un capital de 75 000 $ au début de l'an 20X10, et compte tenu d'un taux d'intérêt moyen anticipé sur vos placements de 11 % capitalisé trimestriellement, quel sera le montant annuel de votre placement? Les versements, au nombre de dix (excluant l'investissement initial de 20 000 $), débutent en 20X1 et se terminent en 20X10.

Les réponses

1. Une *annuité* se définit comme un flux monétaire périodique et constant. On entend par *périodique* un flux monétaire dont la fréquence d'occurrence est régulière. Il s'agit d'un montant d'argent qui revient plus d'une fois et à intervalle régulier (une année, un semestre, un trimestre, un mois, une semaine, etc.). Par *constant,* on entend un flux monétaire qui est toujours le même, d'une période à l'autre, et qui est égal du premier au dernier.

2. La capitalisation consiste à projeter dans le futur la valeur d'une somme d'argent que l'on a en main aujourd'hui. Elle est reliée à la valeur future d'une annuité. L'actualisation consiste à ramener vers aujourd'hui la valeur future d'une somme d'argent. Elle est donc reliée à la valeur actuelle d'une annuité.

3. Ces informations sont les suivantes :
   - le ou les taux couvrant la période d'analyse;
   - le montant du flux monétaire;
   - le nombre de flux monétaires;
   - la fréquence du flux monétaire;
   - la date à laquelle on veut déterminer la valeur accumulée.

4.

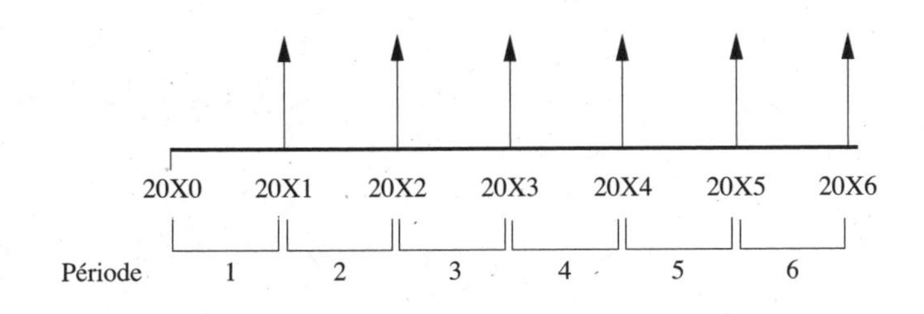

FIGURE 3.2
Les flux monétaires de fin de période

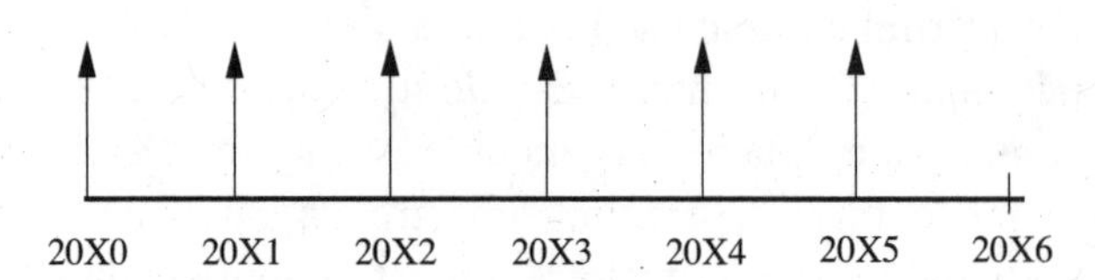

FIGURE 3.5
Les flux monétaires de début de période

L'emplacement du premier flux monétaire de la série de flux détermine si nous sommes en présence d'une annuité de début ou de fin de période. On ne doit pas oublier que la fréquence des flux monétaires est périodique et que, par conséquent, si un flux monétaire est de fin de période, tous les autres le sont également. Dans le même ordre d'idées, si un flux monétaire d'une série de flux monétaires est de début de période, tous les autres le sont également.

5. Il ne faut jamais, au grand jamais, additionner des flux monétaires qui sont à des dates différentes. Il faut d'abord ramener les flux monétaires à un même moment dans le temps.

Les solutions

1.

REPRÉSENTATION GRAPHIQUE

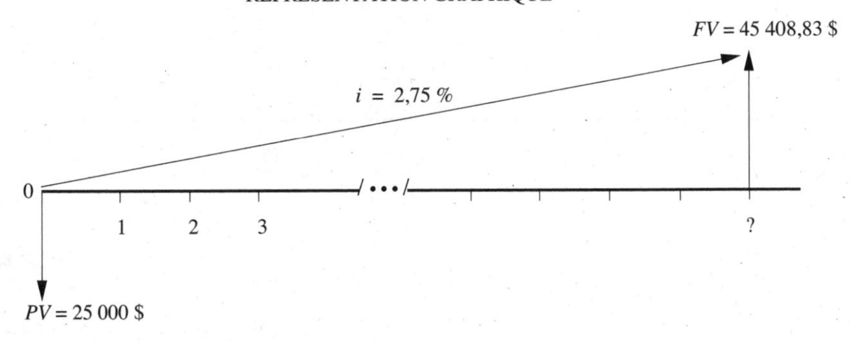

FORMULATION ALGÉBRIQUE

$FV_n = PV(1 + I/m)^n$

n = à déterminer

PV = 25 000 $

FV_n = 45 408,83 $

I = 11 %

m = 4

$45\,408{,}83 = 25\,000(1{,}0275)^n$

$\dfrac{45\,408{,}83}{25\,000} = (1{,}0275)^n$

$1{,}81635 = (1{,}0275)^n$

n = 22 périodes, soit 5,5 ans

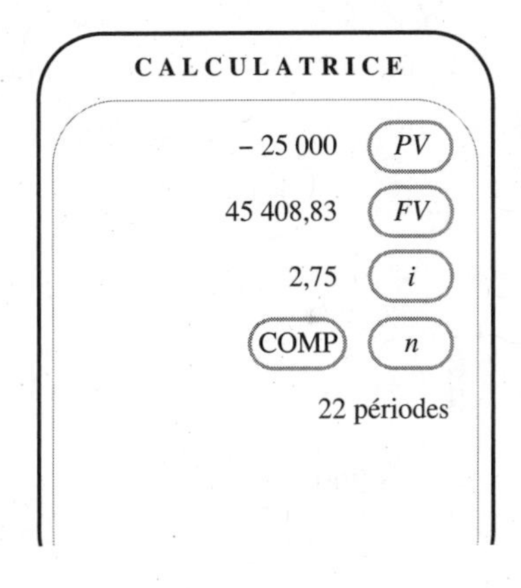

Dans le cas de la formulation algébrique, la réponse est obtenue par tâtonnement. On doit calculer la valeur de l'expression $(1{,}0275)^n$ avec différentes valeurs de « n », jusqu'à ce que le résultat soit d'environ 1,81635. On remarque que la calculatrice est beaucoup plus efficace pour résoudre ce type de problème!

2.

REPRÉSENTATION GRAPHIQUE

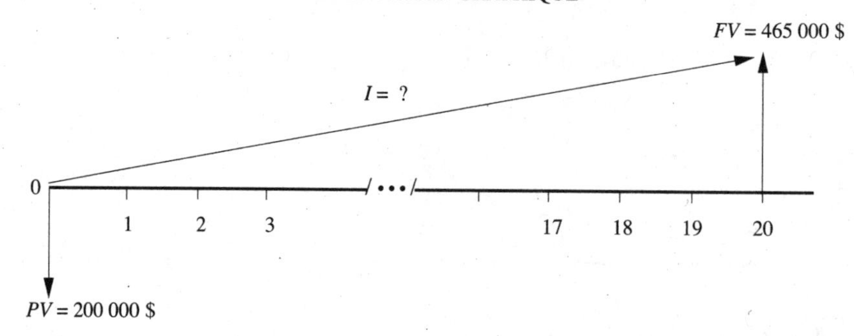

FORMULATION ALGÉBRIQUE

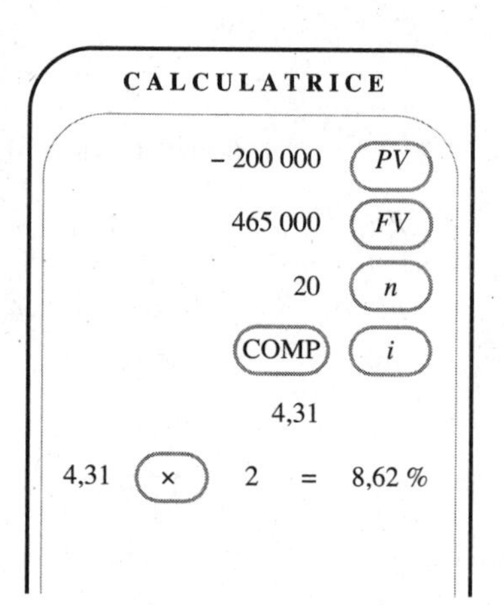

I	=	à déterminer
PV	=	200 000 $
$FV_{N \times m}$	=	465 000 $
m	=	2
N	=	10

$$FV_{N \times m} = PV(1 + I/m)^{N \times m}$$

$$465\,000 = 200\,000(1 + I/m)^{20}$$

ou

$$465\,000 = 200\,000(1 + I/2)^{20}$$

$$\left[\frac{465\,00}{200\,00}\right]^{1/20} = 1 + I/2$$

$$\left[\frac{465\,00}{200\,00}\right]^{1/20} - 1 = I/2$$

$$(2{,}325)^{1/20} - 1 = I/2$$

$1{,}0431 - 1 = I/2$

$0{,}0431 = I/2$

$2 \times 0{,}0431 = I$

$\underline{\underline{8{,}62}}\ \% = I$

3.

FORMULATION ALGÉBRIQUE

$(1 + i_r) = (1 + I/m)^m$

$i_r = (1 + I/m)^m - 1$

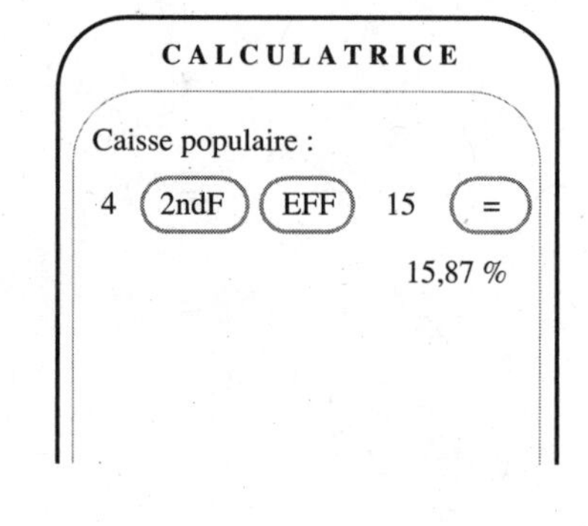

Prêt de la caisse populaire :

$I = 15\ \%$

$m = 4$

$i_r = (1 + 0{,}15/4)^4 - 1$

$i_r = 1{,}15865 - 1$

$i_r = \underline{\underline{15{,}87}}\ \%$

Prêt de la banque à charte :

$i_r = \underline{\underline{16{,}5}}\ \%$

Réponse : sur la base du taux effectif, il est préférable d'emprunter à la caisse populaire qui offre un taux de 15 % capitalisé trimestriellement.

4.

REPRÉSENTATION GRAPHIQUE

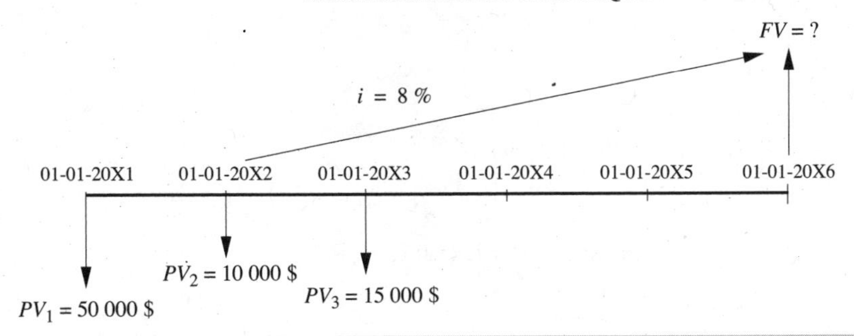

FORMULATION ALGÉBRIQUE

$PV_1 = 50\,000$

$PV_2 = 10\,000$

$PV_3 = 15\,000$

$I = 8\ \%$

$m = 1$

$N_1 = 5$

$N_2 = 4$

$N_3 = 3$

$$FV = PV_1(1 + I/m)^{N_1 \times m} + PV_2(1 + I/m)^{N_2 \times m} + PV_3(1 + I/m)^{N_3 \times m}$$

$$FV = 50\,000(1{,}08)^5 + 10\,000(1{,}08)^4 + 15\,000(1{,}08)^3$$

$$FV = 73\,466{,}40 + 13\,604{,}89 + 18\,895{,}68$$

$$FV = \underline{\underline{105\,966{,}97}}\ \$$$

CALCULATRICE

PV_1 : – 50 000 (PV)
8 (i)
5 (n)
(COMP) (FV)
73 466,40 $

PV_2 : – 10 000 (PV)
8 (i)
4 (n)
(COMP) (FV)
13 604,89 $

PV_3 : – 15 000 (PV)
8 (i)
3 (n)
(COMP) (FV)
18 895,68 $

73 466,40 + 13 604,89 + 18 895,68 = 105 966,97 $

5. Offre A

$PV \quad = \quad 100\ 000\ \$$

Offre B

$PV \quad = \quad comptant + FV(1 + I/m)^{-N \times m}$

REPRÉSENTATION GRAPHIQUE

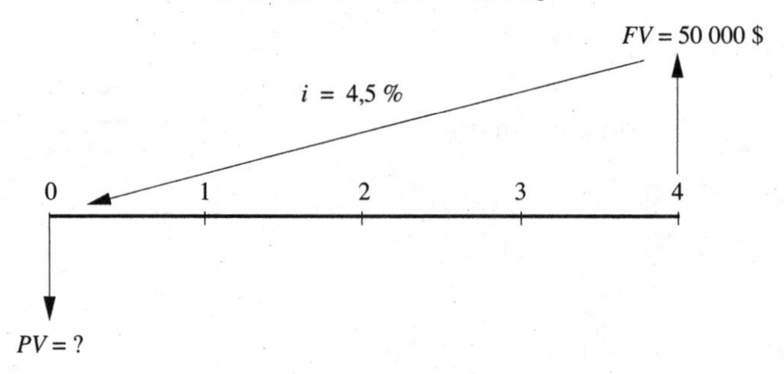

FORMULATION ALGÉBRIQUE

$comptant \quad = \quad 65\ 000\ \$$

$I \quad = \quad 9\ \%$

$m \quad = \quad 2$

$FV \quad = \quad \underline{\underline{50\ 000}}\ \$$

$PV \quad = \quad 65\ 000 + 50\ 000(1 + 0{,}09/2)^{-2 \times 2}$

$PV \quad = \quad 65\ 000 + 50\ 000(1{,}045)^{-4}$

$PV \quad = \quad 65\ 000 + 41\ 928$

$PV \quad = \quad \underline{\underline{106\ 928}}\ \$$

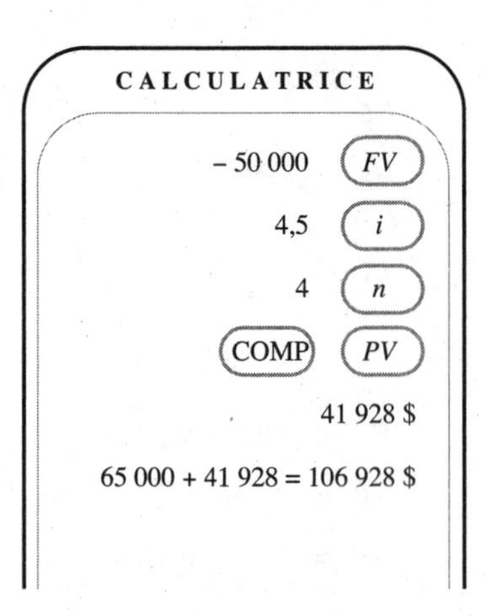

Offre C

REPRÉSENTATION GRAPHIQUE

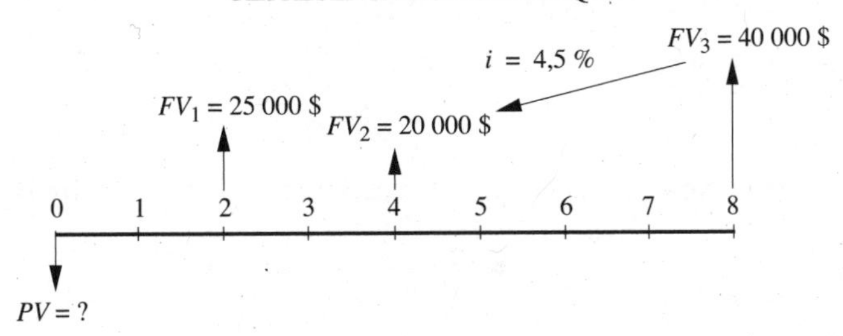

FORMULATION ALGÉBRIQUE

$$PV = comptant + FV_1(1 + I/m)^{-N_1 \times m} + FV_2(1 + I/m)^{-N_2 \times m} + FV_3(1 + I/m)^{-N_3 \times m}$$

$comptant$ = 40 000 $

FV_1 = 25 000 $

FV_2 = 20 000 $

FV_3 = 40 000 $

N_1 = 1

N_2 = 2

N_3 = 4

I = 9 %

m = 2

$$PV = 40\,000 + 25\,000(1 + 0{,}09/2)^{-1 \times 2} + 20\,000(1 + 0{,}09/2)^{-2 \times 2} + 40\,000(1 + 0{,}09/2)^{-4 \times 2}$$

CALCULATRICE

FV_1 : – 25 000 (FV) 4,5 (i) 2 (n) (COMP) (PV)

22 893,25 $

FV_2 : – 20 000 (FV) 4,5 (i) 4 (n) (COMP) (PV)

16 771,23 $

PV_3 : – 40 000 (FV) 4,5 (i) 8 (n) (COMP) (PV)

28 127,41 $

40 000 + 22 893,25 + 16 771,23 + 28 127,41 = 107 792 $

$$PV = 40\,000 + 25\,000(1{,}045)^{-2} + 20\,000(1{,}045)^{-4} + 40\,000(1{,}045)^{-8}$$

$$PV = 40\,000 + 22\,893{,}25 + 16\,771{,}23 + 28\,127{,}41$$

$$PV = \underline{\underline{107\,792}}\ \$$$

Réponse : la meilleure offre est C, qui est supérieure de 864 $ à l'offre B.

6.

REPRÉSENTATION GRAPHIQUE

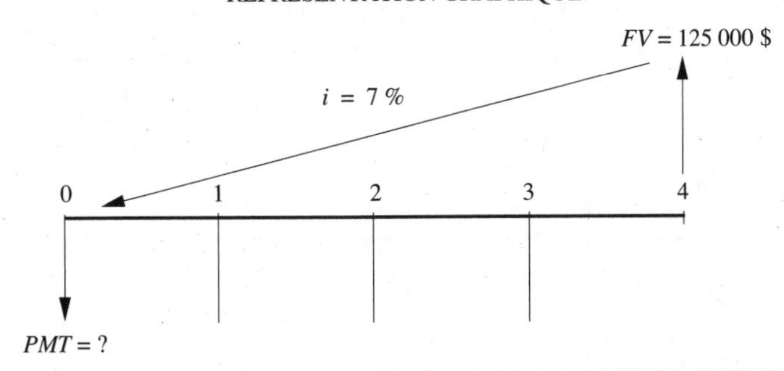

FORMULATION ALGÉBRIQUE

PMT = à déterminer

FV = 125 000 $

I = 7 %

m = 1

N = 4

$$FV = PMT\left[\frac{(1 + I/m)^{N \times m} - 1}{I/m}\right](1 + I/m)$$

$$125\,000 = PMT\left[\frac{(1 + 0{,}07/1)^{4 \times 1} - 1}{0{,}07/1}\right](1{,}07)$$

$$125\,000 = PMT\left[\frac{(1{,}07)^{4} - 1}{0{,}07}\right](1{,}07)$$

$$125\,000 = PMT\left[\frac{1{,}3108 - 1}{0{,}07}\right](1{,}07)$$

$$125\,000 = 4{,}7507\ PMT$$

$$\frac{125\,000}{4{,}7507} = PMT$$

$$\underline{\underline{26\,311{,}70\ \$}} = PMT$$

CALCULATRICE

(BGN)

– 125 000 (FV)

7 (i)

4 (n)

(COMP) (PMT)

26 311,70 $

Remarque : La fonction (BGN) de la calculatrice signifie que les flux monétaires ont lieu en début de période.

7.

a) REPRÉSENTATION GRAPHIQUE

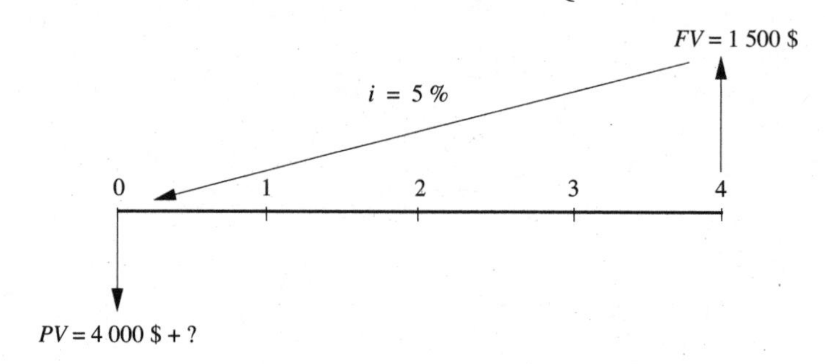

FORMULATION ALGÉBRIQUE

comptant = 4 000 $

FV = 1 500 $

I = 10 %

m = 2

N = 2

$PV = comptant + FV(1 + I/m)^{-N \times m}$

$PV = 4\,000 + 1\,500(1 + 0{,}10/2)^{-2 \times 2}$

$PV = 4\,000 + 1\,500(1{,}05)^{-4}$

$PV = 4\,000 + 1\,234$

$PV = \underline{\underline{5\,234}}\ \$$

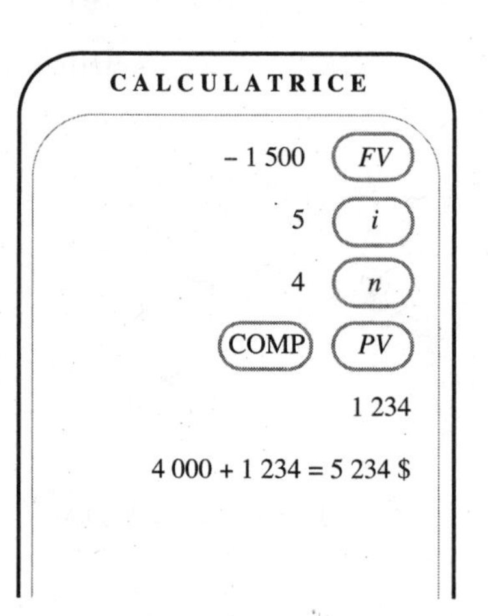

b)

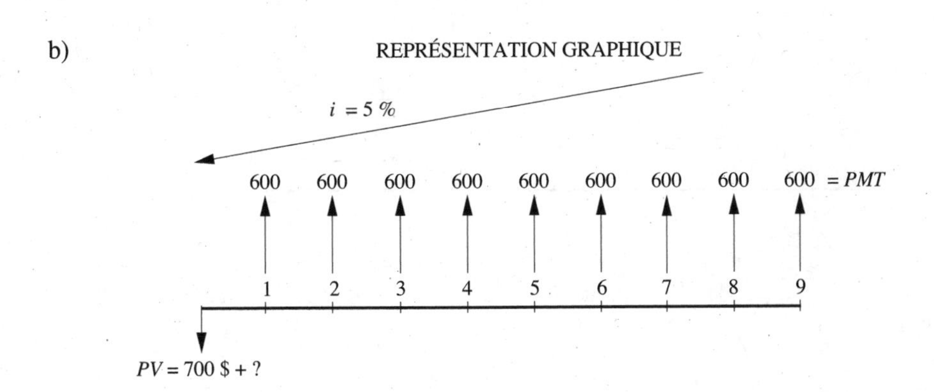

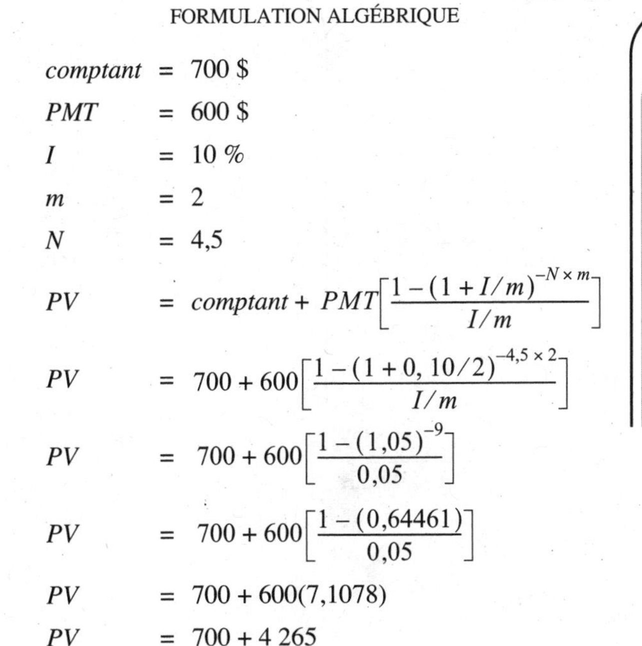

FORMULATION ALGÉBRIQUE

$comptant$ = 700 $

PMT = 600 $

I = 10 %

m = 2

N = 4,5

$$PV = comptant + PMT\left[\frac{1-(1+I/m)^{-N\times m}}{I/m}\right]$$

$$PV = 700 + 600\left[\frac{1-(1+0,10/2)^{-4,5\times 2}}{I/m}\right]$$

$$PV = 700 + 600\left[\frac{1-(1,05)^{-9}}{0,05}\right]$$

$$PV = 700 + 600\left[\frac{1-(0,64461)}{0,05}\right]$$

$$PV = 700 + 600(7,1078)$$

$$PV = 700 + 4\,265$$

$$PV = \underline{\underline{4\,965}}\ \$$$

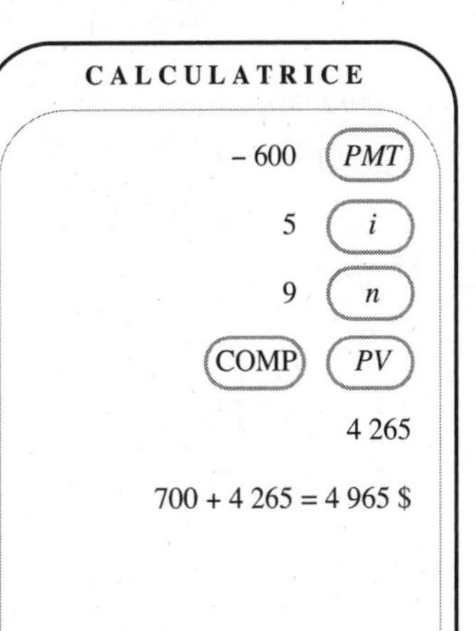

Réponse : la meilleure offre est donc a).

8.

REPRÉSENTATION GRAPHIQUE

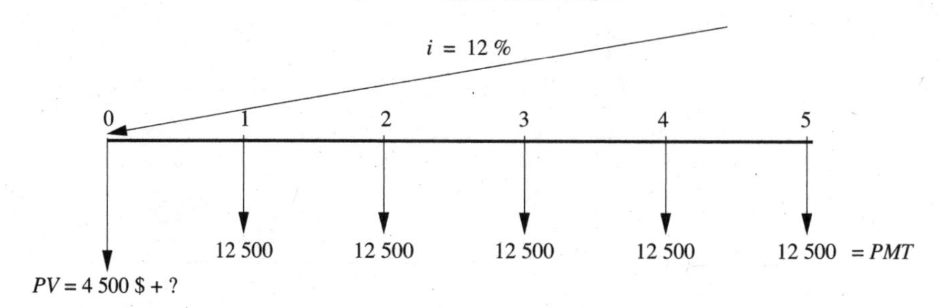

FORMULATION ALGÉBRIQUE

$comptant$ = 4 500 $

PMT = 12 500 $

i_r = 12 %

m = 1

N = 5

$I = i_r$ si et seulement si $m = 1$

I = 12 %

$$PV = comptant + PMT\left[\frac{1-(1+I/m)^{-N\times m}}{I/m}\right]$$

$$PV = 4\,500 + 12\,500\left[\frac{1-(1+0{,}12/1)^{-5\times 1}}{0{,}12/1}\right]$$

$$PV = 4\,500 + 12\,500\left[\frac{1-(1{,}12)^{-5}}{0{,}12}\right]$$

$$PV = 4\,500 + 12\,500\left[\frac{1-0{,}56743}{0{,}12}\right]$$

$$PV = 4\,500 + 12\,500(3{,}6048)$$

$$PV = 4\,500 + 45\,060$$

$$PV = \underline{\underline{49\,560}}\ \$$$

CALCULATRICE

– 12 500 (PMT)

12 (i)

5 (n)

(COMP) (PV)

45 060

4 500 + 45 060 = 49 560 $

9. **Étape 1 :** trouver le *PMT* initial.

REPRÉSENTATION GRAPHIQUE

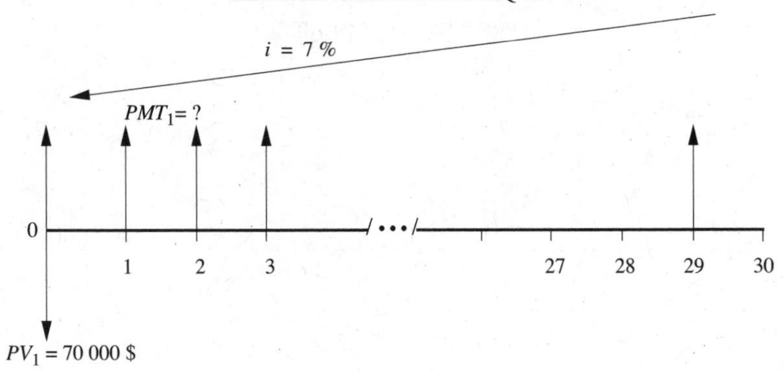

FORMULATION ALGÉBRIQUE

$PV_1 \quad = 70\,000$ \$

$PMT_1 \quad =$ à déterminer

$I_1 \quad = 14\ \%$

$m_1 \quad = 2$

$N_1 \quad = 15$

$$PV_1 = PMT_1\left[\frac{1-(1+I_1/m_1)^{-N_1 \times m_1}}{I_1/m_1}\right](1+I_1/m_1)$$

$$70\,000 = PMT_1\left[\frac{1-(1+0{,}14/2)^{-15 \times 2}}{0{,}14/2}\right](1+0{,}14/2)$$

$$70\,000 = PMT\left[\frac{1-(1{,}07)^{-30}}{0{,}07}\right](1{,}07)$$

$$\frac{70\,000(0{,}07)}{(1-(1{,}07)^{-30})(1{,}07)} = PMT$$

$$\frac{70\,000(0{,}07)}{(0{,}86863)(1{,}07)} = PMT$$

$$\underline{\underline{5\,272}}\ \$ = PMT$$

CALCULATRICE

PMT_1 :	BGN	
	- 70 000	PV
	7	i
	30	n
	COMP	PMT
		5 272 \$

Étape 2 : trouver le solde du prêt après cinq ans.

REPRÉSENTATION GRAPHIQUE

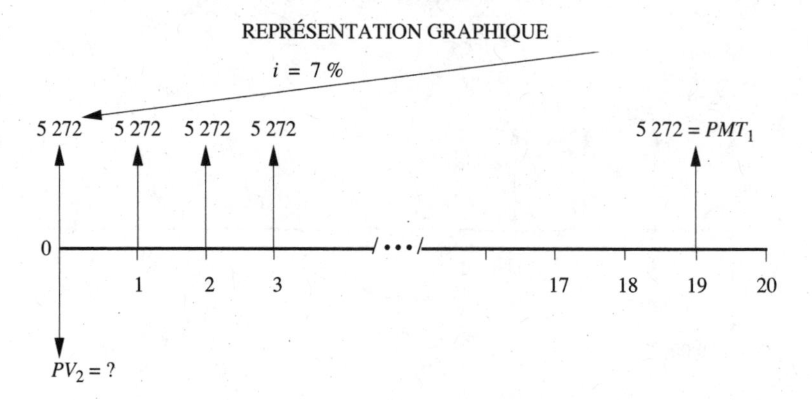

FORMULATION ALGÉBRIQUE

solde du prêt	=	*PV des PMT à effectuer*
PMT_1	=	5 272 $
I_1	=	14 %
m_1	=	2
N_1	=	10
PV_2	=	à déterminer

$$PV_2 = PMT_1\left[\frac{1-(1+I_1/m_1)^{-N_1 \times m_1}}{I_1/m_1}\right](1+I_1/m_1)$$

$$PV_2 = 5\,272\left[\frac{1-(1{,}07)^{-20}}{0{,}07}\right](1{,}07)$$

$$PV_2 = \underline{\underline{59\,761}}\ \$$$

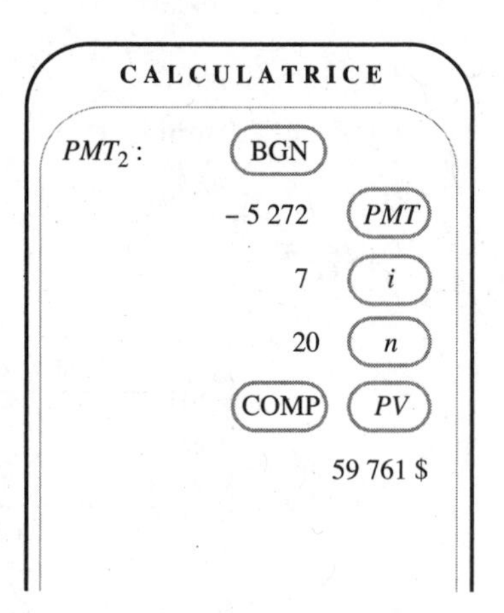

Étape 3 : trouver les nouveaux *PMT*.

REPRÉSENTATION GRAPHIQUE

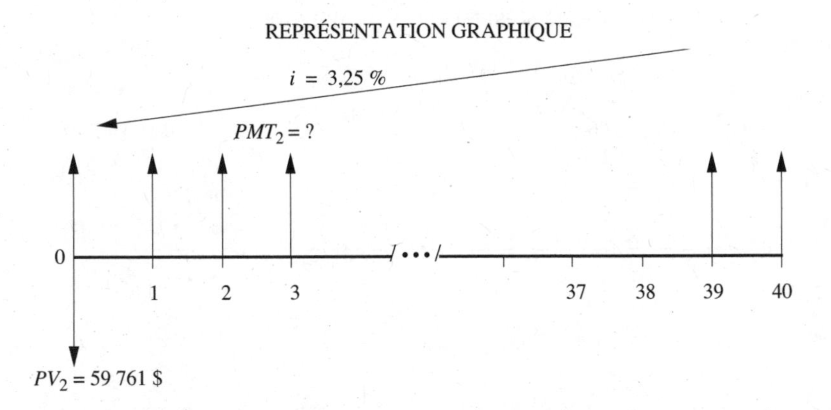

FORMULATION ALGÉBRIQUE

$PV_2 \quad = \quad 59\,761$ \$

$I_2 \quad = \quad 13\ \%$

$m_2 \quad = \quad 4$

$N_2 \quad = \quad 10$

$$PV_2 = PMT_2\left[\frac{1-(1+I_2/m_2)^{-N_2 \times m_2}}{I_2/m_2}\right]$$

$$59\,761 = PMT_2\left[\frac{1-(1+0{,}13/4)^{-4 \times 10}}{0{,}13/4}\right]$$

$$59\,761 = PMT_2\left[\frac{1-(1{,}0325)^{-40}}{0{,}0325}\right]$$

$$\frac{59\,761(0{,}0325)}{(1-(1{,}0325)^{-40})} = PMT_2$$

$$\frac{59\,761(0{,}0325)}{(0{,}72177)} = PMT_2$$

$$\underline{\underline{2\,691}}\ \$ = PMT_2$$

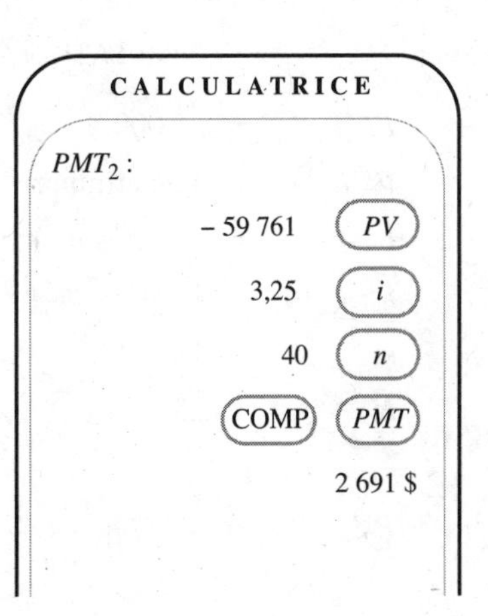

10. Étape 1 : déterminer le montant dont nous aurons besoin pour retirer une rente de 35 000 $ pendant 25 ans au début de chaque année.

REPRÉSENTATION GRAPHIQUE

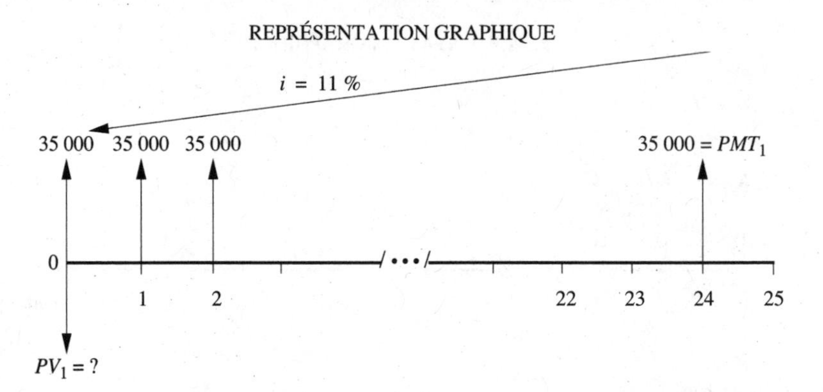

FORMULATION ALGÉBRIQUE

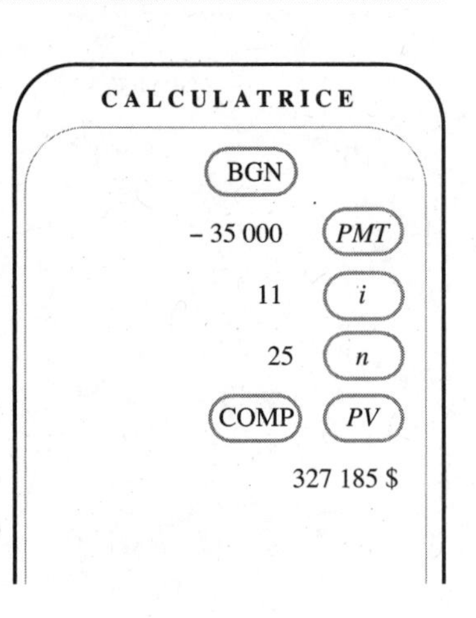

PMT_1 = 35 000 $

PV_1 = à déterminer

I = i_r si et seulement si $m = 1$

I = 11 %

m = 1

N = 25

$$PV_1 = PMT_1\left[\frac{1-(1+I/m)^{-N_1 \times m}}{I/m}\right](1+I/m)$$

$$PV_1 = 35\,000\left[\frac{1-(1{,}11)^{-25}}{0{,}11}\right](1{,}11)$$

$$PV_1 = \underline{\underline{327\,185}}\ \$$$

Étape 2 : déterminer le montant qui aura été accumulé dans 20 ans par les 25 000 $ actuellement dans notre régime.

REPRÉSENTATION GRAPHIQUE

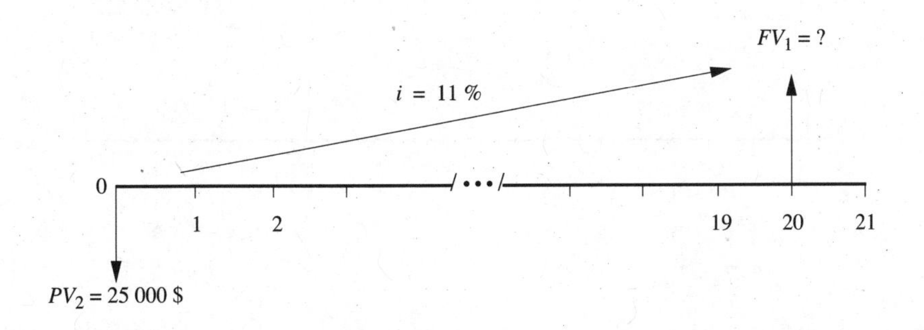

FORMULATION ALGÉBRIQUE

FV_1 = à déterminer

PV_2 = 25 000 $

I = 11 %

m = 1

N_2 = 20

$$FV_1 = PV_2(1 + I/m)^{N_2 \times m}$$

$$FV_1 = 25\,000(1{,}11)^{20}$$

$$FV_1 = \underline{\underline{201\,558\ \$}}$$

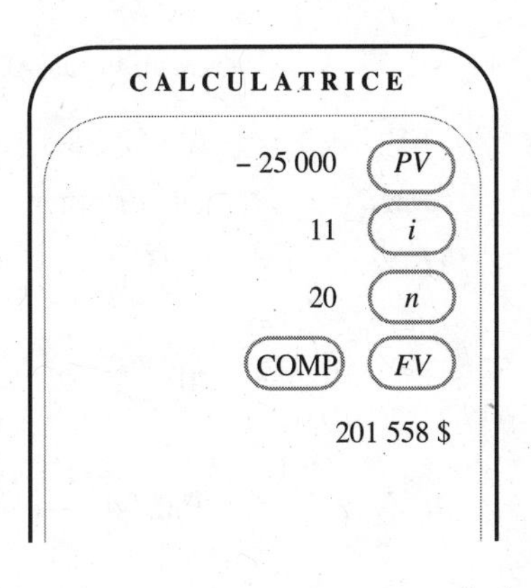

Étape 3 : déterminer le versement à effectuer pour combler la différence entre 327 185 $ et 201 558 $, soit 125 627 $.

REPRÉSENTATION GRAPHIQUE

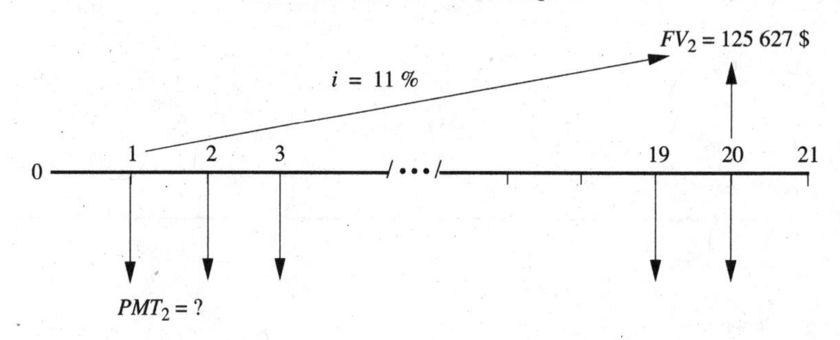

FORMULATION ALGÉBRIQUE

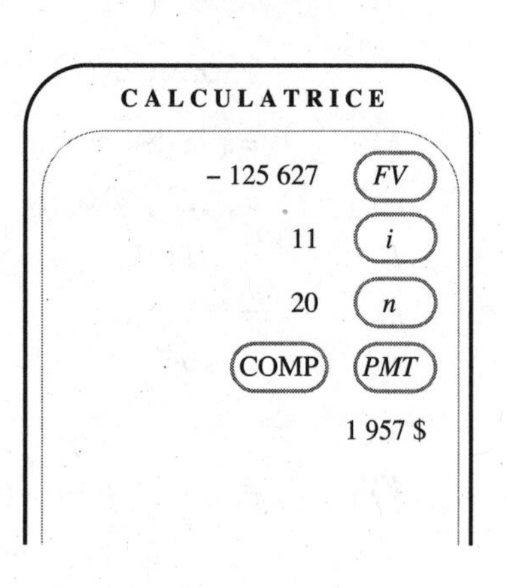

FV_2 = 125 627 $

PMT_2 = à déterminer

I = 11 %

m = 1

N = 20

$$FV_2 = PMT_2\left[\frac{(1 + I/m)^{N \times m} - 1}{I/m}\right]$$

$$125\,627 = PMT_2\left[\frac{(1{,}11)^{20} - 1}{0{,}11}\right]$$

$$\underline{\underline{1\,957}}\ \$ = PMT_2$$

11.

REPRÉSENTATION GRAPHIQUE

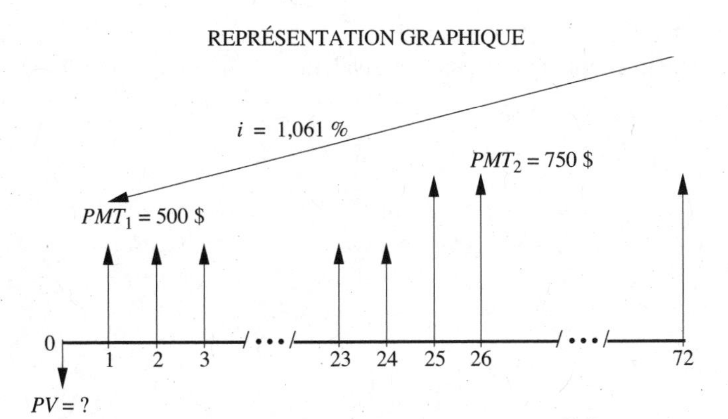

Étape 1 : convertir les taux.

FORMULATION ALGÉBRIQUE

a) Convertir le taux effectif annuel de 13,5 % en un taux mensuel équivalent, ceci parce que les allocations sont versées mensuellement.

i_r = 13,5 %

m = 12

N = 1

$(1 + i_r) = (1 + I/m)^m$

$(1 + 0{,}135) = (1 + I_1/12)^{12}$

$(1{,}135)^{1/12} = 1 + I/12$

$1{,}0106 - 1 = (I/12)$

$1{,}061\ \% = I/12 = i$

i = 1,061 % par mois

CALCULATRICE

a)

12 (2ndF) (APR) 13,5 (=)

12,7303

12,7303 ÷ 12 = 1,061 %

b)

2 (2ndF) (EFF) 14,75 (=)

15,2939 (χ → m)

12 (2ndF) (APR) (RM) (=)

14,316

14,316 ÷ 12 = 1,193 %

Note : La périodicité de la capitalisation du taux de rendement doit toujours correspondre à la périodicité des versements. Ici, des versements mensuels exigent un taux de rendement capitalisé mensuellement. C'est ce qu'on appelle un « taux équivalent », comme nous l'avons vu au chapitre 2 du manuel *Administration financière I*.

b) Convertir le taux de 14,75 % capitalisé semestriellement en un taux mensuel équivalent.

$I_1 = 14{,}75\ \%$

$m_1 = 2$

$N_1 = 1$

$N_2 = 1$

$m_2 = 12$

$$(1 + I_1/m_1)^{m_1} = (1 + I_2/m_2)^{m_2}$$

$$(1+0{,}1475/2)^2 = (1 + I_2/12)^{12}$$

$$(1{,}07375)^{2/12} = 1 + I_2/12$$

$$1{,}01193 - 1 = I_2/12$$

$$\underline{\underline{1{,}193}}\ \% = I_2/12 = i$$

$$i = 1{,}193\ \%\ \text{par mois}$$

Étape 2 : déterminer la valeur actuelle *(PV)* de la série d'allocations mensuelles de 500 $, versées au cours des 24 premiers mois.

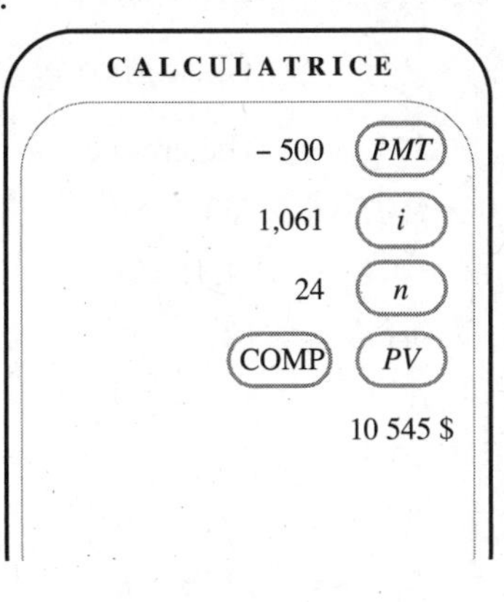

FORMULATION ALGÉBRIQUE

PV_1 = à déterminer

PMT_1 = 500 $

I_1 = 12,732 %

m_1 = 12

N_1 = 2

PV_1 = à déterminer

$$PV_1 = PMT_1\left[\frac{1-(1+I_1/m_1)^{-N_1 \times m_1}}{I_1/m_1}\right]$$

$$PV_1 = 500\left[\frac{1-(1{,}01061)^{-24}}{0{,}01061}\right]$$

$$PV_1 = \underline{\underline{10\,545}}\ \$$$

Étape 3 : déterminer la valeur actuelle *(PV)* de la série d'allocations mensuelles de 750 $ versées du 25ième au 72ième mois inclusivement.

FORMULATION ALGÉBRIQUE

PV_2 = à déterminer

PMT_2 = 750

I_2 = 14,316 %

m_2 = 12

N_2 = 4

m_1 = 12

N_1 = 2

I_1 = 12,732 %

$$PV_2 = PMT_2\left[\frac{1-(1+I_2/m_2)^{-N_2 \times m_2}}{I_2/m_2}\right](1+I_1/m_1)^{-N_1 \times m_1}$$

$$PV_2 = 750\left[\frac{1-(1{,}01193)^{-48}}{0{,}01193}\right](1{,}01061)^{-24}$$

$$PV_2 = 27\,287(1{,}01061)^{-24}$$

$$PV_2 = \underline{\underline{21\,181}}\ \$$$

CALCULATRICE

– 750	PMT
1,193	i
48	n
COMP	PV
27 287	
27 287	FV
1,061	i
24	n
COMP	PV
21 181 $	

La première partie de l'équation calcule la valeur de 48 paiements de 750 $, en date du 24ième mois. La seconde partie actualise cette valeur en date du temps 0, aujourd'hui.

Étape 4 : faire la somme des résultats des étapes 2 et 3.

FORMULATION ALGÉBRIQUE

$PV_1 + PV_2$ = *dépôt = PV*

10 545 $ + 21 181 $ = $\underline{\underline{31\,726}}$ $

12. Étape 1 : convertir le taux de 11 % capitalisé trimestriellement en un taux annuel équivalent.

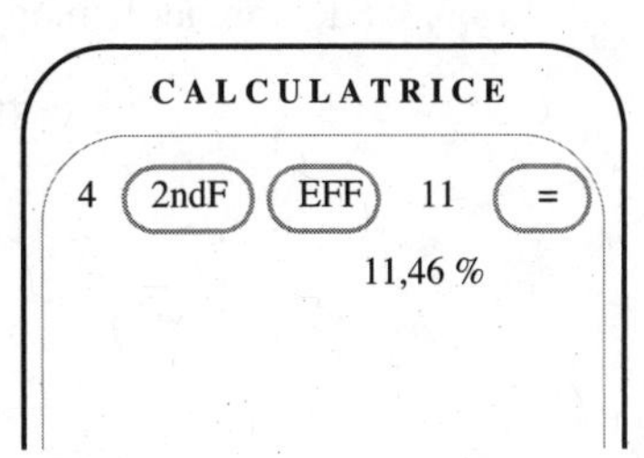

FORMULATION ALGÉBRIQUE

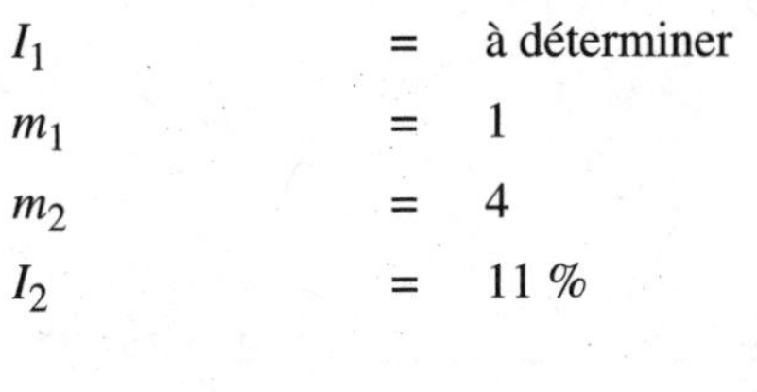

I_1 = à déterminer

m_1 = 1

m_2 = 4

I_2 = 11 %

$$(1 + I_1/m_1)^{m_1} = (1 + I_2/m_2)^{m_2}$$

$$(1 + I_1) = (1 + 0{,}11/4)^4$$

$$(1 + I_1) = (1{,}0275)^4$$

$$I_1 = 1{,}1146 - 1$$

$$I_1 = i = \underline{\underline{11{,}46}}\ \%$$

Étape 2 : déterminer le montant accumulé dans 10 ans avec les 20 000 $ actuels.

REPRÉSENTATION GRAPHIQUE

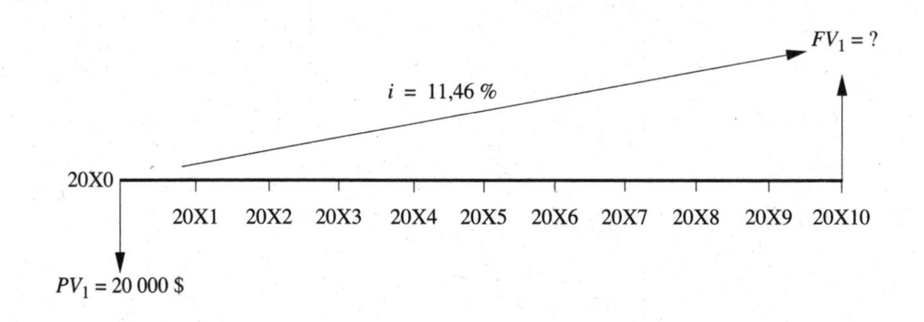

FORMULATION ALGÉBRIQUE

FV_1 = à déterminer

PV_1 = 20 000 $

I_1 = 11,46 %

m_1 = 1

N_1 = 10

$$FV_1 = PV_1(1 + I_1/m_1)^{N_1 \times m_1}$$

$$FV_1 = 20\,000(1 + 0{,}1146)^{10 \times 1}$$

$$FV_1 = 20\,000(1{,}1146)^{10}$$

$$FV_1 = 59\,186\ \$$$

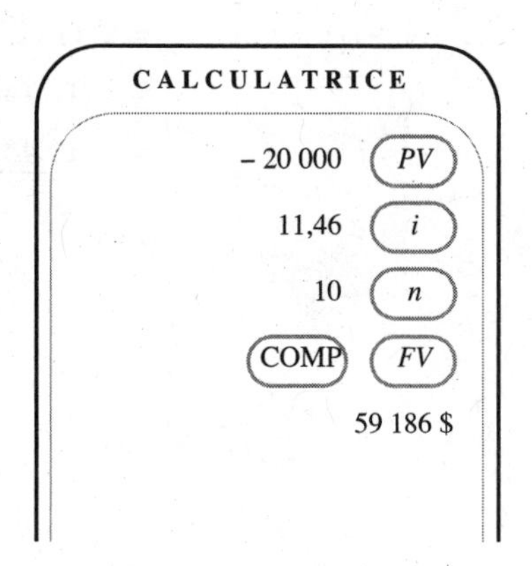

Étape 3 : déterminer le montant à accumuler à même les *PMT* annuels.

75 000 – 59 186 = 15 814 $

Étape 4 : déterminer les versements annuels (*PMT*).

REPRÉSENTATION GRAPHIQUE

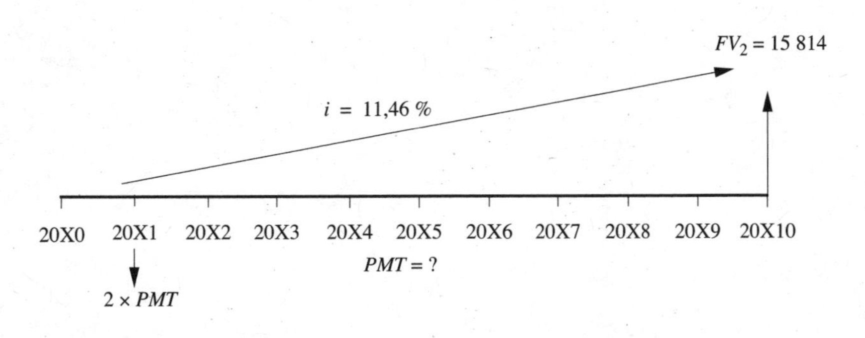

FORMULATION ALGÉBRIQUE

PMT	=	à déterminer
FV_2	=	15 814 $
I_1	=	11,46 %
m_1	=	1
N_1	=	9
N_2	=	9

$$FV_2 = 2PMT(1 + I_1/m_1)^{N_1 \times m_1} + PMT\left[\frac{(1 + I_1/m_1)^{N_2 \times m_1} - 1}{I_1/m_1}\right]$$

$$15\,814 = 2PMT(1{,}1146)^9 + PMT\left[\frac{(1{,}1146)^9 - 1}{0{,}1146}\right]$$

$$15\,814 = 5{,}31PMT + 14{,}44PMT$$

$$\underline{\underline{800{,}71\ \$}} = PMT$$

La première partie de l'équation représente le versement du début de l'an 20X1 (égal au double des versements des années 20X2 à 20X10), dont le rendement est capitalisé pendant neuf années. La seconde partie de l'équation représente les neuf versements égaux, effectués au début des années 20X2 à 20X10, inclusivement.

Chapitre 4

Les annuités et leurs particularités

Les questions

1. Distinguez les annuités différées des annuités générales et des perpétuités.

2. Quels sont les facteurs dont il faut tenir compte pour déterminer la valeur actuelle et la valeur future d'une annuité différée?

Les problèmes

1. Combien paieriez-vous aujourd'hui un commerce qui générerait des recettes annuelles nettes de 70 000 $, si le taux d'intérêt exigé (soit le rendement) est de 20 % annuellement et :

a) si la première recette était reçue aujourd'hui jusqu'à perpétuité?

b) si la première recette était reçue à la fin de la présente année jusqu'à perpétuité?

c) si la première recette était reçue dans exactement trois ans jusqu'à perpétuité?

2. Monsieur Tremblay vient de débuter sur le marché du travail et il désire économiser afin de réaliser les deux principaux objectifs qu'il s'est fixés. Le premier, c'est de prendre sa retraite à 55 ans, soit dans 30 ans exactement. Monsieur Tremblay espère vivre au moins 20 ans comme retraité et retirer 40 000 $ par année (fin d'année). Son deuxième objectif, plus immédiat celui-là, est d'acquérir une nouvelle voiture dans quatre ans exactement, dont le coût d'alors est estimé à 25 000 $.

Selon ses calculs, il compte économiser 10 000 $ par année pour les premières 10 années de travail et rien par la suite. Les spécialistes prévoient un taux de rendement effectif annuel moyen de 10 % sur les dépôts bancaires pour les 50 prochaines années. Les épargnes annuelles de monsieur Tremblay lui suffiront-elles pour réaliser ses objectifs?

3. Imaginons qu'on vienne tout juste de refaire l'autoroute Jean-Lesage. Nous sommes le 1er juillet 20X8 et on ne prévoit aucune réparation de la chaussée avant le 30 juin 20X13. À partir de cette dernière date, on devra consacrer annuellement, chaque 30 juin, un montant global de 3 000 000 $ à la réfection partielle de la chaussée. Selon les spécialistes, on devra agir ainsi pendant 20 ans, après quoi l'autoroute sera à refaire totalement.

Quel montant le gouvernement du Québec doit-il déposer le 1er juillet 20X8 dans un établissement financier afin d'assurer les réfections de cette route pour les 20 prochaines années, en prenant comme hypothèse qu'il pourra obtenir un taux effectif moyen de 9 % pour les 40 prochaines années?

4. Vous avez acheté récemment un billet d'une loterie spéciale. Le gagnant ou la gagnante aura le choix d'un des lots suivants :

- 1er lot : 2 000 000 $ comptant;
- 2e lot : 25 000 $ à la fin de chaque mois pendant 20 ans;
- 3e lot : 1 000 000 $ tous les quatre ans à perpétuité, le premier lot étant reçu dans quatre ans seulement.

Si vous êtes l'heureux élu de cette loterie, quel lot choisiriez-vous sachant que vous pouvez obtenir un taux de 11 % capitalisé mensuellement sur vos épargnes?

5. Au début de l'année 20X1, la Ville de Chicoutimi et l'entreprise ABC inc. ont conclu une entente concernant une compensation pour une taxe relative à la machinerie de cette entreprise. Selon cette entente, les montants suivants doivent être versés à la municipalité au début de chaque année :

Année	*Montant*
01-01-20X2	5 500 $
01-01-20X3	5 500 $
01-01-20X4	5 500 $
01-01-20X5	6 500 $
01-01-20X6	6 500 $
01-01-20X7	6 500 $
01-01-20X8	3 750 $
01-01-20X9	3 750 $
01-01-20X10	3 750 $

Quelques mois avant le premier versement, les dirigeants de l'entreprise demandent à la Ville de Chicoutimi de s'acquitter de leur obligation selon d'autres modalités de versements qui se détaillent comme suit : un paiement de 10 000 $ au début de l'année 20X2 et, par la suite, un paiement égal au début de chacune des années 20X3, 20X4, 20X5 et 20X6.

Année	*Montant*
01-01-20X2	10 000 $
01-01-20X3	x
01-01-20X4	x
01-01-20X5	x
01-01-20X6	x

On vous demande d'établir le montant du versement x qui sera effectué au cours des années 20X3 à 20X6 inclusivement en sachant que la Ville de Chicoutimi demande un taux d'intérêt de 12 % capitalisé annuellement et que la valeur de la nouvelle entente devra correspondre à celle de la première entente.

6. Vous venez d'acquérir une maison individuelle au coût de 100 000 $. En conformité avec les exigences de la SCHL, vous déboursez 5 % du coût au comptant et empruntez le solde aux conditions suivantes :

- prêt hypothécaire de 20 ans, renégociable dans trois ans au taux alors en vigueur sur le marché;
- paiements hebdomadaires (fin de la semaine);
- taux d'emprunt actuel : 14,25 % composé semestriellement.

a) Quels seront vos paiements hebdomadaires pour les trois premières années?

b) Quelle est la partie intérêts et la partie capital du sixième versement?

c) Imaginons qu'après trois ans vous renouvelez votre prêt au taux de 11 % composé mensuellement, quels seront les nouveaux versements hebdomadaires?

d) Après six ans exactement (donc, trois ans exactement après le renouvellement), vous décidez de rembourser le solde du prêt. Combien devrez-vous débourser si la banque vous impose une indemnité de remboursement par anticipation de 3 500 $?

e) Si vos paiements hebdomadaires des trois premières années avaient été de 280,14 $, au lieu du paiement déterminé en a), quel aurait été le taux nominal approximatif du prêt, sachant que la capitalisation est semestrielle?

Les réponses

1. Les annuités possèdent certaines particularités. La série de flux monétaires périodiques constants, qu'on doit verser ou recevoir, peut ne pas débuter dès la première période et être reportée dans le temps. Nous sommes alors en présence d'*annuités différées*.

Dans certains cas, la fréquence de capitalisation des taux et la périodicité des flux monétaires sont différentes. Lorsque la période de capitalisation ne correspond pas à la période de versements, nous nous trouvons devant des *annuités générales*. Cette disparité nécessite un ajustement du taux d'intérêt et le prêt hypothécaire en est le meilleur exemple.

Enfin, quand le nombre de flux monétaires faisant partie d'une annuité peut être illimité, nous sommes alors en présence de *perpétuités*.

2. L'actualisation d'une annuité nécessite la connaissance des facteurs suivants :

- le taux couvrant la période d'analyse;
- le montant du flux monétaire;
- le nombre de flux monétaires;
- la fréquence du flux monétaire;
- la date de détermination de la valeur actuelle.

Les mêmes informations sont nécessaires pour calculer la valeur future d'une annuité différée, à l'exception de la date de détermination qui se veut ici la date de détermination de la valeur accumulée.

Les solutions

1.

a)

REPRÉSENTATION GRAPHIQUE

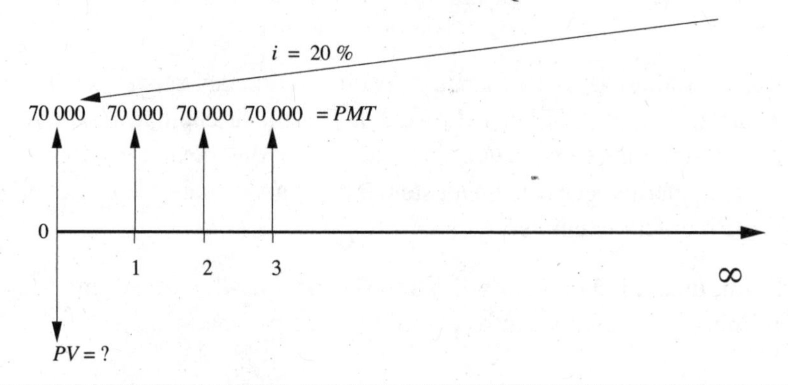

FORMULATION ALGÉBRIQUE

$$PV = PMT + \frac{PMT}{i}$$

$$PV = 70\,000 + \frac{70\,000}{0{,}20} = \underline{\underline{420\,000}}\ \$$$

ou encore

$$PV = \left[\frac{PMT}{i}\right](1 + i)$$

$$PV = \left[\frac{70\,000}{0{,}20}\right](1{,}20) = \underline{\underline{420\,000}}\ \$$$

b)

REPRÉSENTATION GRAPHIQUE

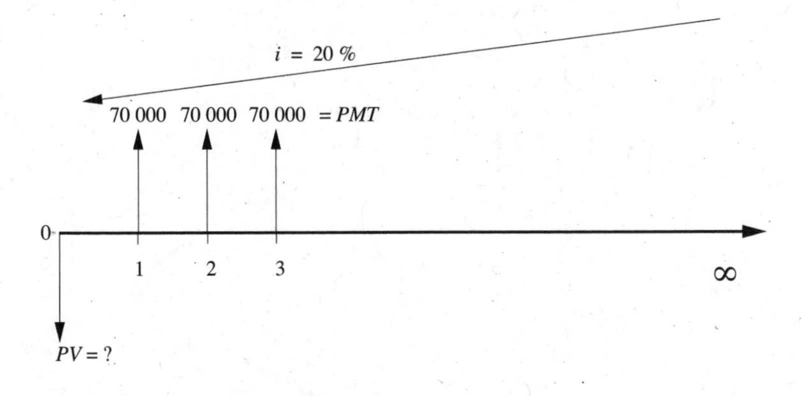

FORMULATION ALGÉBRIQUE

$$PV = \left[\frac{PMT}{i}\right]$$

$$PV = \frac{70\ 000}{0,20}$$

$$PV = \underline{\underline{350\ 000}}\ \$$$

c)

REPRÉSENTATION GRAPHIQUE

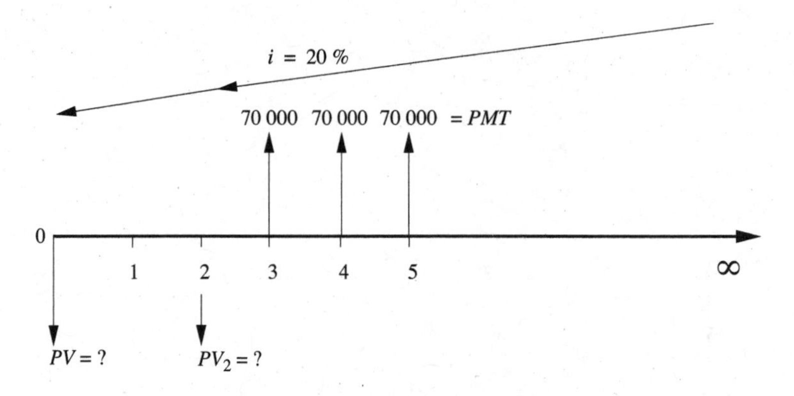

FORMULATION ALGÉBRIQUE

On doit calculer la valeur de l'annuité perpétuelle en dollars de l'an 2 (étape 1), puis actualiser le montant obtenu en dollars de l'an 0 (étape 2).

Étape 1

$$PV_2 = \left[\frac{PMT}{i}\right]$$

$$PV_2 = \frac{70\,000\ \$}{0{,}20}$$

$$PV_2 = 350\,000\ \$$$

Étape 2

$$PV = PV_2(1+i)^{-n}$$

$$PV = 350\,000(1{,}20)^{-2}$$

$$PV = \underline{\underline{243\,056}}\ \$$$

2. Pour atteindre ses objectifs, il faudra que la valeur actuelle des épargnes de Monsieur Tremblay soit au moins équivalente à la valeur actuelle de ses déboursés.

La valeur actuelle des déboursés

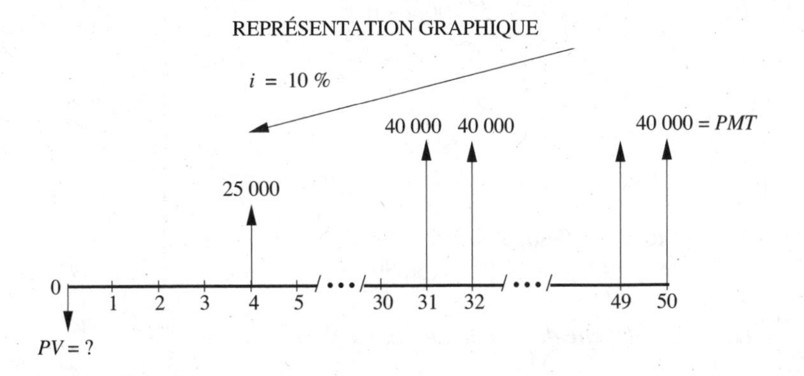

Étape 1 : établir le coût actuel des dépenses de retraite sur 20 ans.

FORMULATION ALGÉBRIQUE

On doit d'abord calculer la valeur actualisée, à l'an 30, les dépenses de retraite (PV_{30}). Puis, on doit actualiser ce montant en dollars d'aujourd'hui (PV).

$$PV_{30} = PMT\frac{(1-(1+i)^{-n})}{i}$$

$$PV_{30} = 40\,000\,\frac{(1-(1+0{,}10)^{-20})}{0{,}10}$$

$$PV_{30} = 340\,542{,}55\ \$$$

$$PV = PV_{30}\,(1{,}10)^{-30}$$

$$PV = 340\,542{,}55\,(1{,}10)^{-30}$$

$$PV = \underline{\underline{19\,516}}\ \$$$

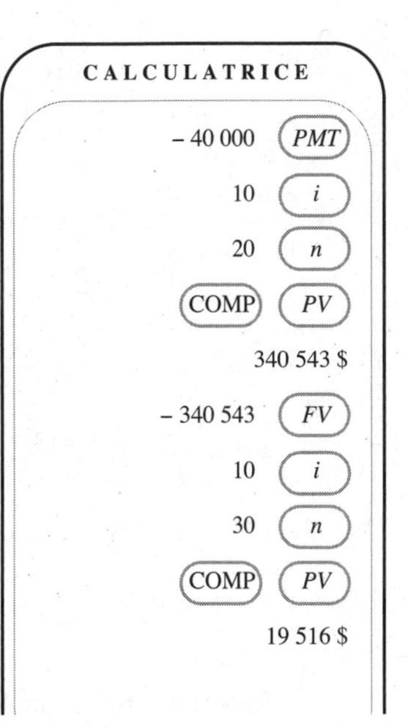

Étape 2 : établir le coût actuel de l'automobile.

FORMULATION ALGÉBRIQUE

$$PV = FV(1 + i)^{-n} = 25\,000(1{,}10)^{-4} = 17\,075\ \$$$

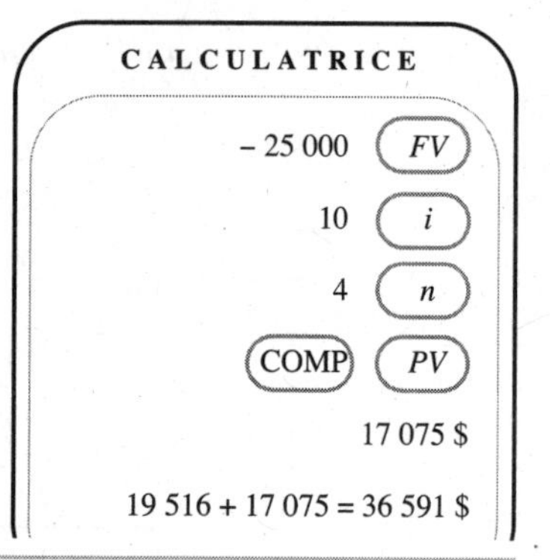

Le coût total des deux objectifs

$$= 19\,516 + 17\,075 = \underline{\underline{36\,591}}\ \$$$

La valeur actuelle des économies annuelles

REPRÉSENTATION GRAPHIQUE

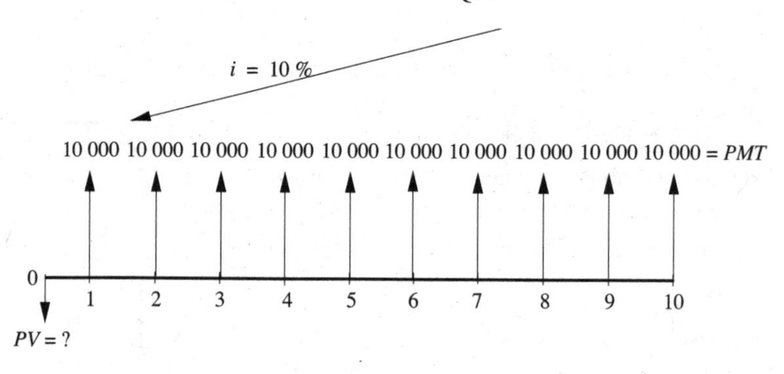

FORMULATION ALGÉBRIQUE

$$PV = PMT\left[\frac{1-(1+i)^{-n}}{i}\right] = 10\,000\left[\frac{1-(1{,}10)^{-10}}{0{,}10}\right]$$

$$PV = \underline{\underline{61\,446}}\ \$$$

– 10 000 PMT
10 i
10 n
COMP PV
61 446 $

Réponse : monsieur Tremblay pourra facilement atteindre ses objectifs.

3.

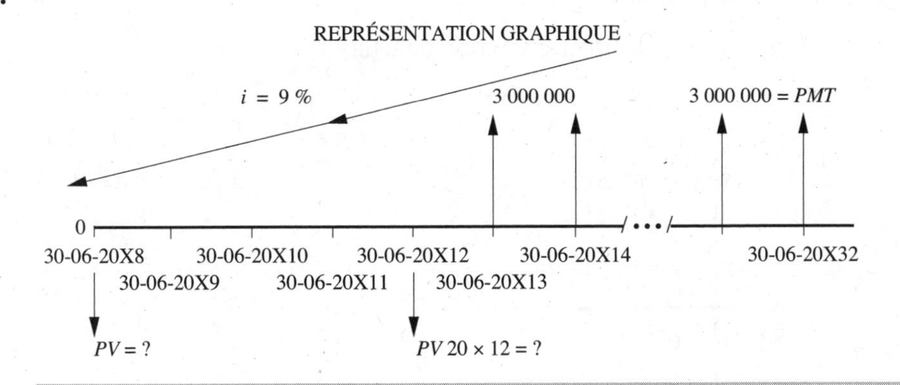

FORMULATION ALGÉBRIQUE

Étape 1

$$PV_{20X12} = PMT\left[\frac{1-(1+i)^{-n}}{i}\right]$$

$$PV_{20X12} = 3\,000\,000\left[\frac{1-(1+0{,}09)^{-20}}{0{,}09}\right]$$

$$PV_{20X12} = \underline{\underline{27\,385\,637{,}01}}\ \$$$

Étape 2

$$PV_{20X8} = PV_{20}(1+i)^{-4}$$

$$PV_{20X8} = 27\,385\,637{,}01(1{,}09)^{-4}$$

$$PV_{20X8} = \underline{\underline{19\,400\,675}}\ \$\ \text{environ}$$

CALCULATRICE

– 3 000 000	PMT
9	i
20	n
COMP	PV
27 385 637 $	
– 27 385 637	FV
9	i
4	n
COMP	PV
19 400 675 $	

On doit calculer la valeur de la série de 20 paiements de 3 000 000 $ en dollars de 20X12 (étape 1), puis actualiser ce montant en dollars de 20X8 afin d'obtenir le montant à déposer (étape 2).

4. *La valeur actuelle du deuxième choix*

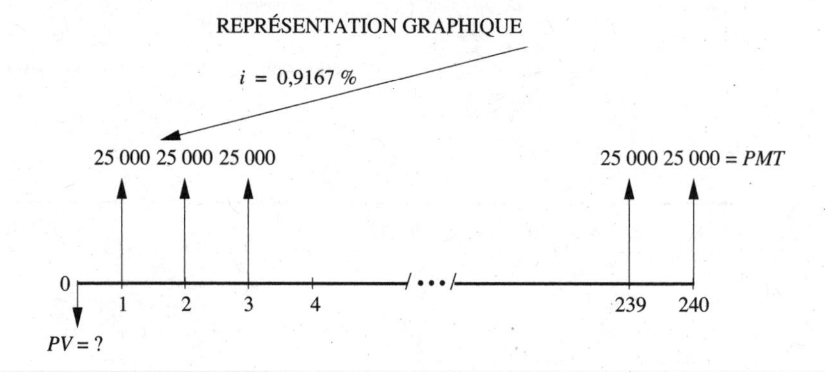

FORMULATION ALGÉBRIQUE

$$PV = PMT\left[\frac{1-(1+i)^{-n}}{i}\right]$$

$$PV = 25\,000\left[\frac{1-(1+0{,}11/12)^{-240}}{0{,}11/12}\right]$$

$$PV = \underline{\underline{2\,421\,950{,}40}}\ \$$$

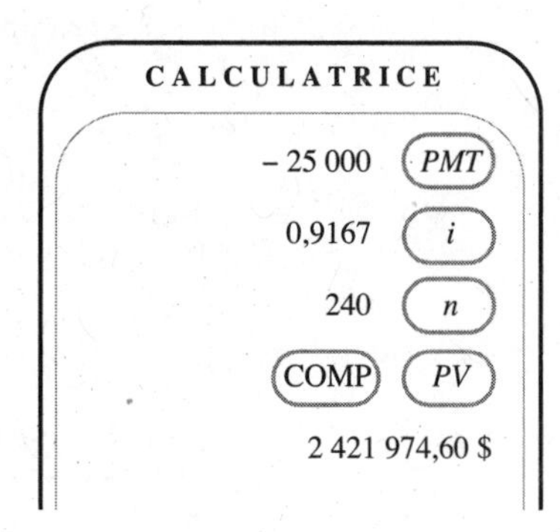

Note : La différence entre la réponse selon la formulation algébrique et celle de la calculatrice est attribuable aux arrondissements. La réponse de la formulation algébrique a été calculée avec six chiffres après le point.

La valeur actuelle du troisième choix

REPRÉSENTATION GRAPHIQUE

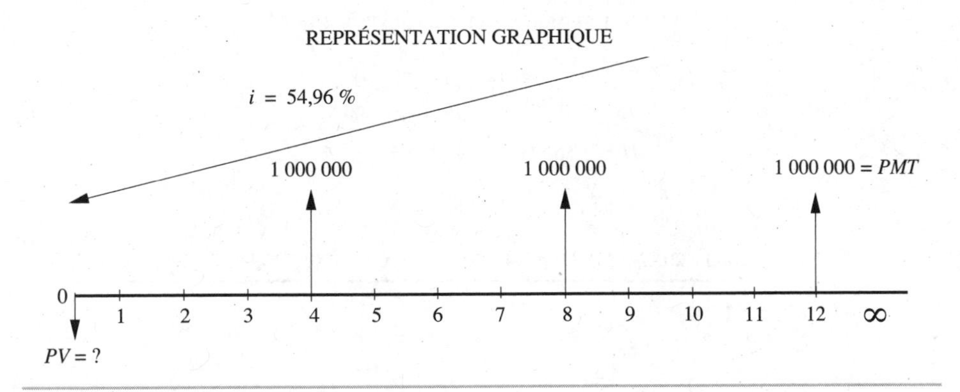

FORMULATION ALGÉBRIQUE

On doit convertir le taux de 11 % capitalisé mensuellement en un taux équivalent, capitalisé sur une période de quatre ans (étape 1). Puis, on doit calculer la valeur actuelle du versement perpétuel de 1 000 000 $ chaque quatre ans (étape 2).

La périodicité de la capitalisation du taux d'intérêt doit toujours correspondre à la périodicité des versements.

Étape 1

$$(1 + I_1/m_1)^{m_1} = (1 + I_2/m_2)^{m_2}$$

$$(1 + 0{,}11/12)^{12} = (1 + I_2/0{,}25)^{0{,}25}$$

$$(1{,}009167)^{12/(0{,}25)} = (1 + I_2/0{,}25)$$

$$1{,}54962 - 1 = I_2/0{,}25$$

$$I_2/0{,}25 = i = 54{,}96\ \%\ \text{tous les quatre ans}$$

Étape 2

$$PV = \frac{PMT}{i} = \frac{1\ 000\ 000}{0{,}5496}$$

$$PV = \underline{\underline{1\ 819\ 505{,}09}}\ \$$$

Réponse : il faudrait préférer le deuxième choix.

5.

Première entente

REPRÉSENTATION GRAPHIQUE

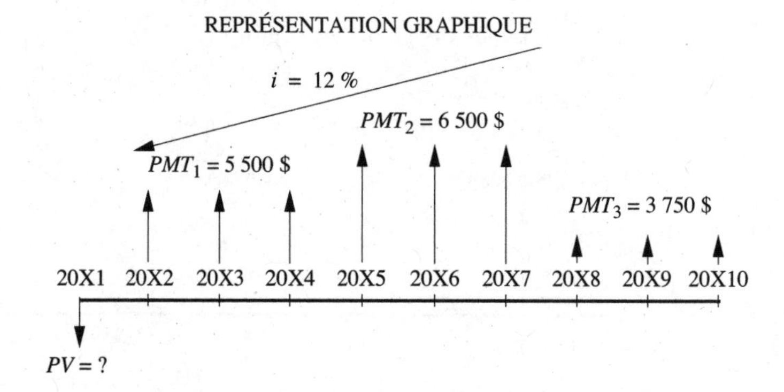

FORMULATION ALGÉBRIQUE

PMT_1	=	5 500 $
PMT_2	=	6 500 $
PMT_3	=	3 750 $
I	=	12 %
m	=	1
N_1	=	3
N_2	=	3
N_3	=	3
N_4	=	3
N_5	=	6

CALCULATRICE

PMT_1 :	– 5 500	PMT
	12	i
	3	n
	COMP	PV
		13 210 $
PMT_2 :	– 6 500	PMT
	12	i
	3	n
	COMP	PV
		15 612 $
	– 15 612	FV
	12	i
	3	n
	COMP	PV
		11 112 $

$$PV = PMT_1\left[\frac{1-(1+I/m)^{-N_1 \times m}}{I/m}\right] +$$

$$PMT_2\left[\frac{1-(1+I/m)^{-N_2 \times m}}{I/m}\right](1+I/m)^{-N_3 \times m} +$$

$$PMT_3\left[\frac{1-(1+I/m)^{-N_4 \times m}}{I/m}\right](1+I/m)^{-N_5 \times m}$$

$$PV = 5\,500\left[\frac{1-(1+0{,}12/1)^{-3 \times 1}}{0{,}12/1}\right] +$$

$$6\,500\left[\frac{1-(1+0{,}12/1)^{-3 \times 1}}{0{,}12/1}\right](1+0{,}12/1)^{-3 \times 1} +$$

$$3\,750\left[\frac{1-(1+0{,}12/1)^{-3 \times 1}}{0{,}12/1}\right](1+0{,}12/1)^{-6 \times 1}$$

$$PV = 5\,500\left[\frac{1-(1{,}12)^{-3}}{0{,}12}\right] +$$

$$6\,500\left[\frac{1-(1{,}12)^{-3}}{0{,}12}\right](1{,}12)^{-3} +$$

$$3\,750\left[\frac{1-(1{,}12)^{-3}}{0{,}12}\right](1{,}12)^{-6}$$

$$PV = 13\,210 + 11\,112 + 4\,563$$

$$PV = \underline{\underline{28\,885}}\ \$$$

PMT_3 :

– 3 750	PMT
12	i
3	n
COMP	PV
	9 007 $
– 9 007	FV
12	i
6	n
COMP	PV
	4 563 $

13 210 + 11 112 + 4 563
= 28 885 $

La première partie de l'équation calcule la valeur actuelle des trois premiers versements de 5 500 $. La deuxième partie de l'équation calcule la valeur, en 20X4, des trois versements de 6 500 $, puis actualise ce montant en 20X1. Enfin, la troisième partie de l'équation calcule la valeur, en 20X7, des trois derniers paiements de 3 750 $, puis actualise ce montant en 20X1.

Notez que les versements ont lieu en début de période, mais que le premier versement aura lieu en début d'année 20X2. Dans ce contexte, l'utilisation de la formule du calcul de la valeur actualisée d'une annuité de début de période nous donnera une valeur exprimée en dollars de 20X2. Il faut donc lui ajouter un facteur actualisation de $(1 + i)^{-1}$ afin d'obtenir une valeur exprimée en dollars de 20X1. Ce facteur aura pour effet d'annuler le facteur de $(1 + i)$ de la formule de calcul de la valeur actualisée d'une annuité de début de période. *En d'autres termes, calculer la valeur actualisée d'une annuité de début de période dont le premier versement a lieu au début de la prochaine période, et non immédiatement, est équivalent à calculer la valeur actualisée d'une annuité de fin de période.*

Seconde entente

REPRÉSENTATION GRAPHIQUE

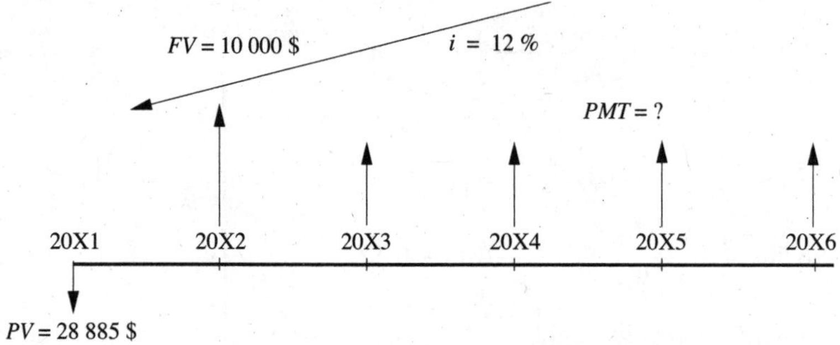

FORMULATION ALGÉBRIQUE

PV	=	28 885 $
FV_1	=	10 000 $
I	=	12 %
m	=	1
PMT	=	à déterminer
N_1	=	1
N_2	=	4
N_3	=	1

CALCULATRICE

– 28 885 (PV)

12 (i)

1 (n)

(COMP) (FV)

32 351,20

32 351 – 10 000 = 22 351 $

22 351 (PV)

12 (i)

4 (n)

(COMP) (PMT)

≈ 7 360 $

$$PV = FV_1(1 + I/m)^{-N_1 \times m} + PMT_1\left[\frac{1-(1+I/m)^{-N_2 \times m}}{I/m}\right](1+I/m)^{N_3 \times m}$$

$$28\,885 = 10\;000(1+0{,}12/1)^{-1 \times 1} + PMT_1\left[\frac{1-(1+0{,}12/1)^{-4 \times 1}}{0{,}12/1}\right](1+0{,}12/1)^{-1 \times 1}$$

$$28\,885 = 10\,000(1{,}12)^{-1} + PMT_1\left[\frac{1-(1{,}12)^{-4}}{0{,}12}\right](1{,}12)^{-1}$$

$$28\,885 = 10\,000(0{,}89286) + PMT_1(3{,}037)\,(0{,}89286)$$

$$28\,885 = 8\,928{,}57 + PMT_1(2{,}7116)$$

$$28\,885 - 8\,928{,}57 = 2{,}7116\,PMT$$

$$19\,956{,}43 = 2{,}7116\,PMT$$

$$\frac{19\,956{,}43}{2{,}7116} = PMT$$

$$\underline{\underline{7\,359{,}65}}\ \$ = PMT$$

6.

a)

REPRÉSENTATION GRAPHIQUE

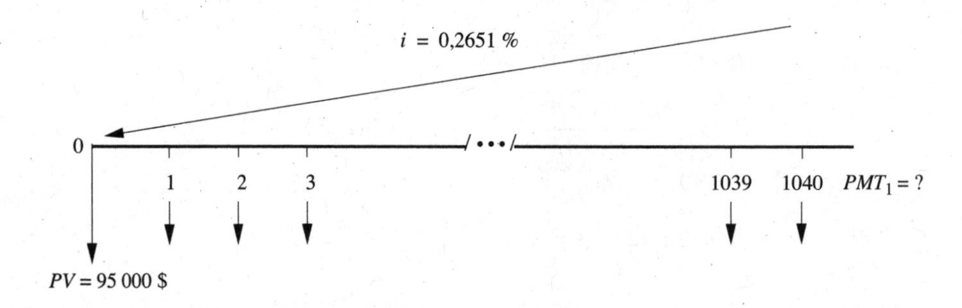

FORMULATION ALGÉBRIQUE

Étape 1 : convertir le taux semestriel en taux hebdomadaire.

$$(1 + I_1/m_1)^{m_1} = (1 + I_2/m_2)^{m_2}$$

$$(1 + 0{,}1425/2)^2 = (1 + I_2/52)^{52}$$

$$(1{,}07125)^{2/52} = (1 + I_2/52)$$

$$1{,}002651 - 1 = I_2/52$$

d'où :

$$I_2/52 = i = 0{,}2651\ \%$$

Étape 2 : calculer le paiement hebdomadaire.

$$PMT = PV\left[\frac{i}{1-(1+i)^{-n}}\right]$$

$$PMT = 95\,000\left[\frac{0{,}002651}{1-(1+0{,}002651)^{-1040}}\right]$$

PMT = <u>268,98</u> $ par semaine

CALCULATRICE

2 (2ndF) (EFF) 14,25 (=)

14,757656 (χ = M)

52 (2ndF) (APR) RM (=)

13,783474

13,783474 ÷ 52 = 0,265067

– 95 000 (PV)

0,2651 (i)

1 040 (n)

(COMP) (PMT)

268,98 $

b)

FORMULATION ALGÉBRIQUE

Étape 1 : calculer le solde après cinq versements.

$$PV = PMT\left[\frac{1-(1+i)^{-n}}{i}\right]$$

$$PV = 268,98\left[\frac{1-(1{,}002651)^{-1035}}{0{,}002651}\right]$$

$$PV = \underline{\underline{94\,913{,}07}}\ \$$$

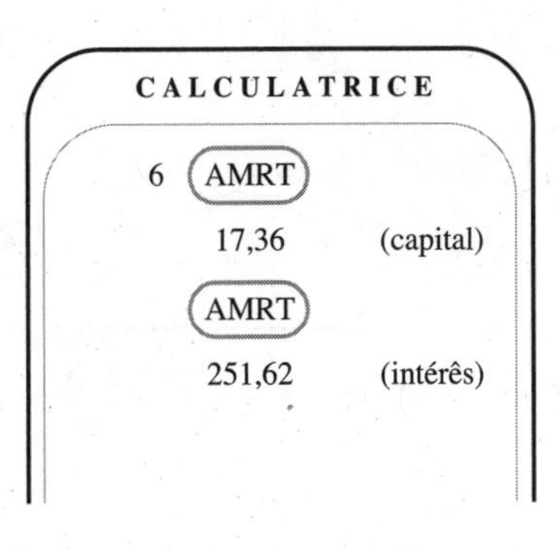

Étape 2 : calculer la partie intérêts du sixième versement.

$$\begin{aligned} \textit{partie intérêts} &= i \times solde \\ &= 0{,}002651 \times 94\,913{,}07 \\ &= \underline{\underline{251{,}62}}\ \$ \end{aligned}$$

Étape 3 : calculer la partie capital du sixième versement.

$$\begin{aligned} \textit{partie capital} &= \textit{versement total} - \textit{intérêts} \\ &= 268{,}98 - 251{,}62 \\ &= \underline{\underline{17{,}36}}\ \$ \end{aligned}$$

c)

REPRÉSENTATION GRAPHIQUE

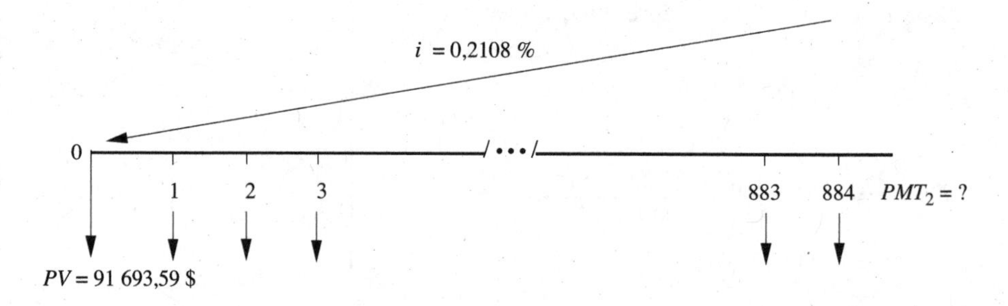

FORMULATION ALGÉBRIQUE

Étape 1 : convertir le taux mensuel en taux hebdomadaire équivalent.

On a :

$$(1 + I_1/m_1)^{m_1} = (1 + I_2/m_2)^{m_2}$$

$$(1 + 0{,}11/12)^{12} = (1 + I_2/52)^{52}$$

$$(1{,}009167)^{12/52} = (1 + I_2/52)$$

$$1{,}002108 - 1 = I_2/52$$

$$I_2/52 = i = 0{,}2108\ \%\ \text{par semaine}$$

CALCULATRICE

12 (2ndF) (EFF) 11 (=)

11,57188 %

11,57188 % (χ → M)

52 (2ndF) (APR) RM (=)

10,96143 %

10,96143 ÷ 52 = 0,2108

Étape 2 : déterminer le solde du prêt après le 156e versement.

Après trois ans, il reste 884 versements à effectuer, soit 17 × 52.

Le solde après 156 semaines, soit 3 × 52 est de :

$$PV = PMT\left[\frac{1-(1+i)^{-n}}{i}\right]$$

$$PV = 268{,}98\left[\frac{1-(1+0{,}002651)^{-884}}{0{,}002651}\right]$$

Solde = 91 693,59 $

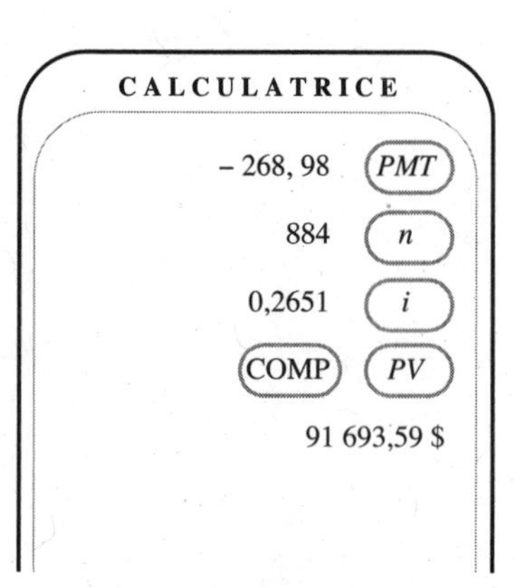

Étape 3: déterminer le montant des nouveaux versements hebdomadaires.

$$91\,693{,}59 = PMT\left[\frac{1-(1+0{,}002108)^{-884}}{0{,}002108}\right]$$

$$PMT = \underline{\underline{228{,}86}}\ \$$$

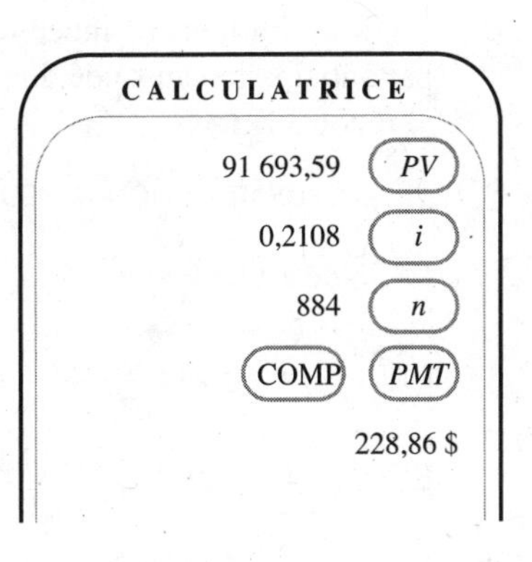

d) On doit additionner l'indemnité de remboursement par anticipation au solde du prêt trois années après le renouvellement.

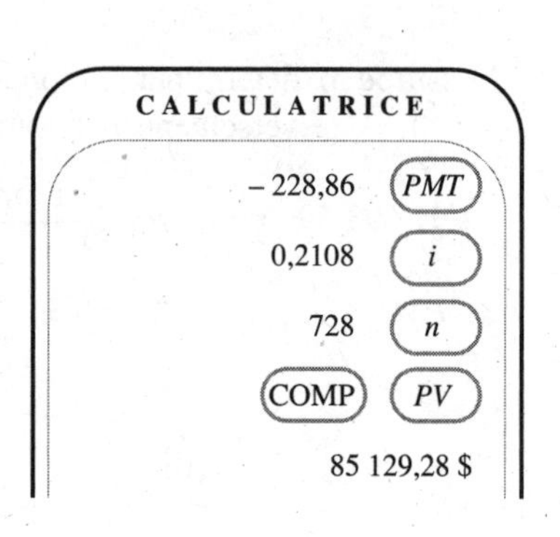

FORMULATION ALGÉBRIQUE

Le solde est de :

$$PV = PMT\left[\frac{1-(1+i)^{-n}}{i}\right]$$

$$PV = 228{,}86\left[\frac{1-(1{,}002108)^{-728}}{0{,}002108}\right]$$

$$PV = 85\ 129{,}28\ \$$$

et vous rembourserez : 85 129,28 + 3 500 = 88 629,28 $

e) Il s'agit de trouver la valeur de i dans l'expression suivante :

$$PV = PMT\left[\frac{1-(1+i)^{-n}}{i}\right]$$

$$95\ 000 = 280{,}14\left[\frac{1-(1+i)^{-1040}}{i}\right]$$

Par interpolation linéaire, posons d'abord :

i = 0,25 % par semaine et alors :

$$PV = 280{,}14\left[\frac{1-(1{,}0025)^{-1040}}{0{,}0025}\right] = 103\ 706{,}15\ \$$$

Essayons i = 0,30 % et alors :

$$PV = 280{,}14\left[\frac{1-(1{,}003)^{-1040}}{0{,}003}\right] = 89\ 237{,}30\ \$$$

Valeur actuelle à 0,25 % = 103 706,15 $

Valeur actuelle à 0,30 % = 89 237,30 $

Le taux périodique i se situe donc entre les deux taux de 0,25 % et 0,30 %. Il s'agit de trouver graphiquement la valeur de i lorsque $PV = 95\,000$ $.

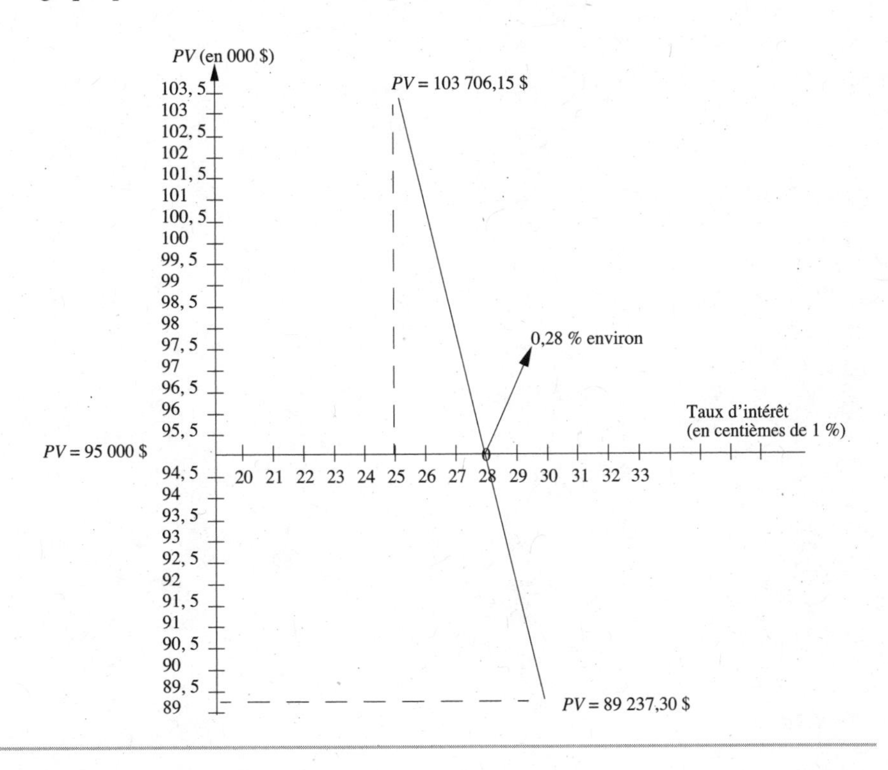

On doit donc isoler I_1 dans :

$$(1 + I_1/m_1)^{m_1} = (1 + I_2/m_2)^{m_2}$$

$$(1 + I_1/2)^2 = (1 + 0{,}0028)^{52}$$

$$I_1/2 = (1{,}0028)^{52/2} - 1$$

$$I_1/2 = 1{,}075406 - 1$$

I_1 = 15 % environ, capitalisé semestriellement

Chapitre 5

La détermination du taux de rendement d'un actif : fondements

---

Les questions

1. Comment détermine-t-on le taux de rendement?

2. Nommez les deux règles qui s'appliquent au taux de rendement.

3. Identifiez les trois principes fondamentaux qui régissent le calcul du taux de rendement.

Les problèmes

1. Votre frère a investi un montant de 50 000 $ il y a cinq ans. Le solde de son compte se situe actuellement à 105 000 $. Quel taux nominal a-t-il obtenu, sachant que la capitalisation était annuelle?

a) Trouvez la réponse à l'aide des tables financières.

b) Trouvez la réponse à l'aide de la formulation algébrique.

c) Trouvez la réponse à l'aide de la calculatrice.

2. Combien paieriez-vous aujourd'hui un immeuble résidentiel qui générera les flux monétaires nets suivants, si vous exigez un taux effectif de 18 %? Considérez que ces flux ont lieu en fin de période.

a)

An 1	An 2	An 3	An 4	An 5	Ans 6 à ∝
0	-10 000	20 000	30 000	50 000	75 000

b) Si vous le payez 227 874,23 $, quel est le taux de rendement implicite de la transaction?

c) Si deux investissements rapportent les mêmes flux monétaires, pourquoi paie-t-on moins cher lorsque le taux de rendement est plus élevé?

3. L'extérieur de votre chalet n'est plus acceptable. Vous avez le choix entre deux possibilités :

a) peindre la maison tout de suite et tous les cinq ans par la suite, chaque peinture coûtant 800 $;

b) installer un recouvrement d'aluminium dont la durée estimée est de 20 ans, au coût de 1 750 $.

Si vous désirez conserver votre chalet 20 ans et que vous pouvez obtenir un taux de 12 % effectif, quelle solution retiendrez-vous? Supposez que vous n'aurez pas à emprunter pour ni l'une ni l'autre des solutions.

4. Marcel, l'heureux homme, vient de gagner à la loterie un montant de 2 205 000 $. Il décide donc de prendre une retraite anticipée (de 20 ans) immédiatement.

Marcel est sage et décide de placer son argent en totalité afin de s'assurer, à lui et à tous ses descendants, une rente annuelle perpétuelle de 205 000 $ payable au début de chaque année à compter de maintenant. À quel taux nominal, capitalisé semestriellement, doit-il placer son argent?

5. Un jeune et talentueux joueur de hockey, fort convoité par plusieurs équipes de la LNH, donne le mandat à son gérant de négocier afin d'obtenir les clauses minimales qui suivent :

À compter de la signature de mon contrat et pour une période de dix ans, qu'il me soit versé :

a) un salaire annuel de 2 400 000 $, payable en 12 versements égaux de 200 000 $; plus

b) un versement périodique constant et mensuel, déposé dans un compte spécial, suffisamment élevé pour m'assurer qu'il me soit versé dans exactement dix ans à compter de la signature du présent contrat :

b1 un montant global de 2 500 000 $; et

b2 45 000 $ à la fin de chaque mois à compter du jour de la réception du montant établi en b1, pour une durée de 30 ans.

On demande :

Si vous étiez le gérant d'une équipe de la LNH et que le taux d'intérêt que l'équipe pouvait obtenir était de 12 % capitalisé mensuellement, quel serait le montant mensuel total qu'il vous faudrait verser au cours des dix prochaines années pour respecter le contrat?

Les réponses

1. Pour déterminer le taux de rendement, il faut établir le taux pour lequel la valeur actuelle des entrées de fonds (c.-à-d. les flux monétaires générés par le placement) est égale à la valeur actuelle des sorties de fonds, dans la majorité des cas représentée par le placement initial.

2. Le taux de rendement obéit à deux règles générales :

- *il est exprimé sur une base annuelle* : nous avons vu antérieurement que le seul taux significatif à cet égard est le taux effectif. Exprimer le taux de rendement sur une base annuelle s'avère utile pour comparer différents projets d'investissement;
- *il est un taux composé* : il est calculé comme une moyenne géométrique et non arithmétique.

3. Les trois principes fondamentaux qui régissent le calcul du taux de rendement sont les suivants :

- le taux de rendement d'un investissement est le taux pour lequel la valeur actualisée des entrées de fonds est égale à la valeur actualisée des sorties de fonds;
- pour un investissement donné, plus le montant des entrées de fonds à recevoir est élevé et plus le taux de rendement est élevé;
- pour une série donnée d'entrées de fonds, plus le taux de rendement est élevé et moins l'investissement est élevé.

Les solutions

1.

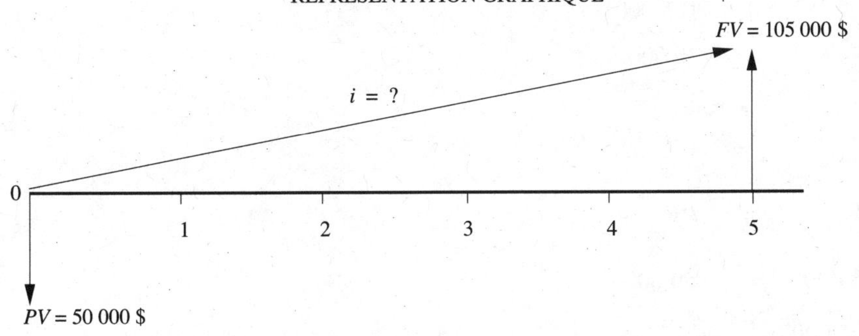

a) $FV = PV \times \textit{facteur de capitalisation}$

$105\,000 = 50\,000 \times \textit{facteur de capitalisation}$

$$\textit{facteur de capitalisation} = \frac{105\,000}{50\,000} = 2{,}10$$

Dans la table 1 de l'annexe du manuel, vis-à-vis $n = 5$, on trouve le facteur 2,10 à 16 %.

FORMULATION ALGÉBRIQUE

b) i = à déterminer

FV = 105 000 $

PV = 50 000 $

N = 5

m = 1

$$FV = PV(1+i)^n$$

$$105\,000 = 50\,000(1+i)^5$$

$$\left[\frac{105\,000}{50\,000}\right] = (1+i)^5$$

$$(2.1)^{1/5} = (1+i)$$

$$1{,}1600 - 1 = i$$

$$i = \underline{\underline{16\ \%}}$$

c)

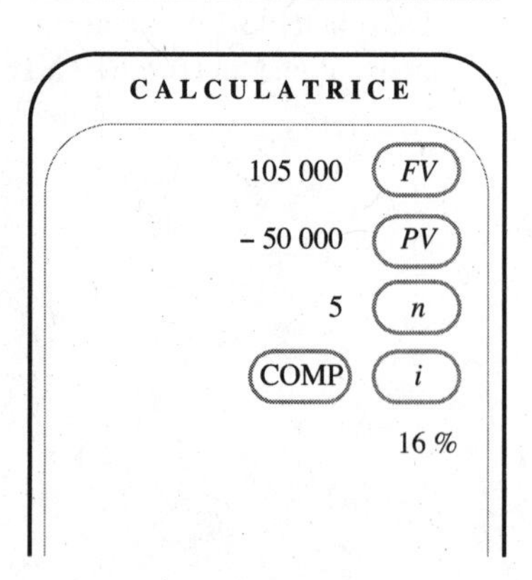

2.

a)

REPRÉSENTATION GRAPHIQUE

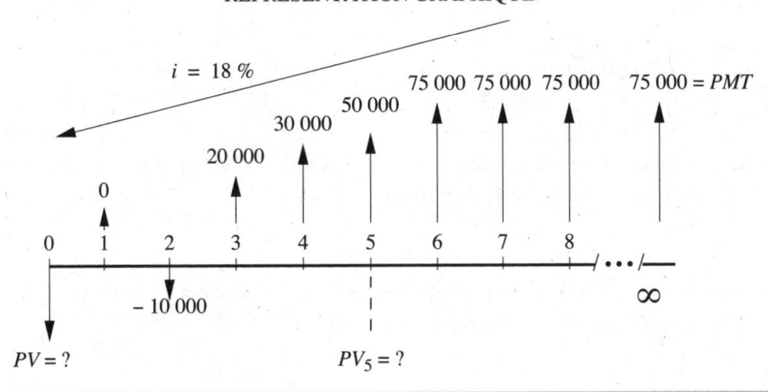

FORMULATION ALGÉBRIQUE

Un actif (un immeuble, par exemple) ne vaut rien de plus que la valeur actualisée des flux monétaires promis. Ici, on aura donc :

$$PV = \left[\frac{FM_1}{(1+i)^1} + \frac{FM_2}{(1+i)^2} + \frac{FM_3}{(1+i)^3} + \frac{FM_4}{(1+i)^4} + \frac{FM_5}{(1+i)^5}\right] + \left[\frac{PMT}{i}\right](1+i)^{-n}$$

La seconde partie de l'équation calcule la valeur, au temps 5, du flux monétaire perpétuel de 75 000 $, puis actualise ce montant en dollars de l'an 0.

$$PV = prix$$

$$prix = \left[\frac{0}{(1{,}18)^1} + \frac{-10\,000}{(1{,}18)^2} + \frac{20\,000}{(1{,}18)^3} + \frac{30\,000}{(1{,}18)^4} + \frac{50\,000}{(1{,}18)^5}\right] + \left[\frac{75\,000}{0{,}18}\right](1{,}18)^{-5}$$

$$prix = 42\,319{,}90 + 182\,128{,}84 = \underline{\underline{224\,448{,}74}}\ \$$$

b) Il s'agit de trouver la valeur de i telle que la valeur actualisée (PV) soit de 227 874,23 $.

On a :

$$\left[\frac{0}{(1+i)^1}+\frac{-10\,000}{(1+i)^2}+\frac{20\,000}{(1+i)^3}+\frac{30\,000}{(1+i)^4}+\frac{50\,000}{(1+i)^5}\right]+\left[\frac{75\,000}{i}\right](1+i)^{-5}=227\,874{,}23$$

Par tâtonnement et/ou interpolation linéaire, on découvre que le taux de rendement implicite de la transaction est d'environ 17,8 %.

c) Pour générer les mêmes flux monétaires lorsque le taux est plus élevé, le montant investi au départ est nécessairement moins élevé.

3.

REPRÉSENTATION GRAPHIQUE

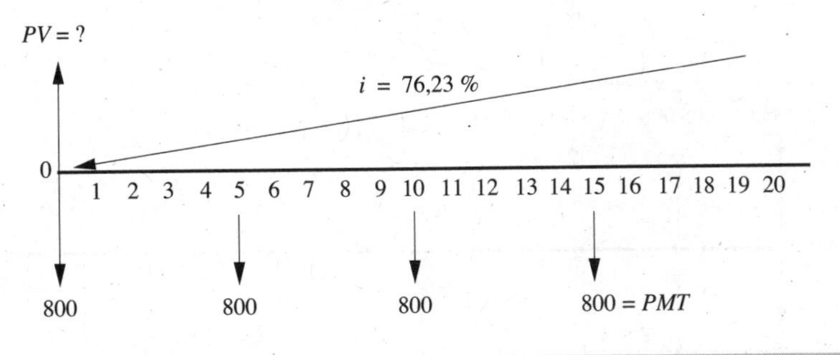

FORMULATION ALGÉBRIQUE

Il faut calculer la valeur actuelle de la première possibilité :

Étape 1 : convertir le taux annuel en taux équivalent pour une période de cinq ans.

$$(1 + I_1/m_1)^{m_1} = (1 + I_2/m_2)^{m_2}$$

$$(1 + 0{,}12/1)^1 = (1 + i)^{1/5}$$

$$(1 + 0{,}12)^5 - 1 = i$$

$$i = 76{,}23\ \%$$

Étape 2 : calculer la *VA* des peintures.

$$PV = PMT\left[\frac{1 - (1 + i)^{-n}}{i}\right](1 + i)$$

$$PV = 800\left[\frac{1 - (1{,}7623)^{-4}}{0{,}7623}\right](1{,}7623)$$

$$PV = \underline{\underline{1\ 658}}\ \$$$

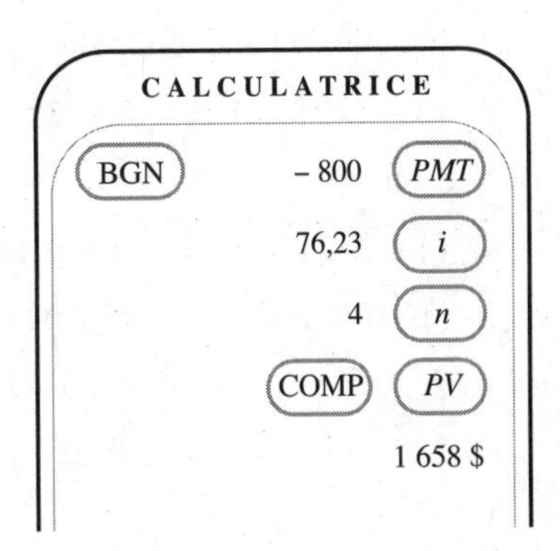

Réponse : il faudrait donc repeindre, car 1 658 $ < 1 750 $.

4.

REPRÉSENTATION GRAPHIQUE

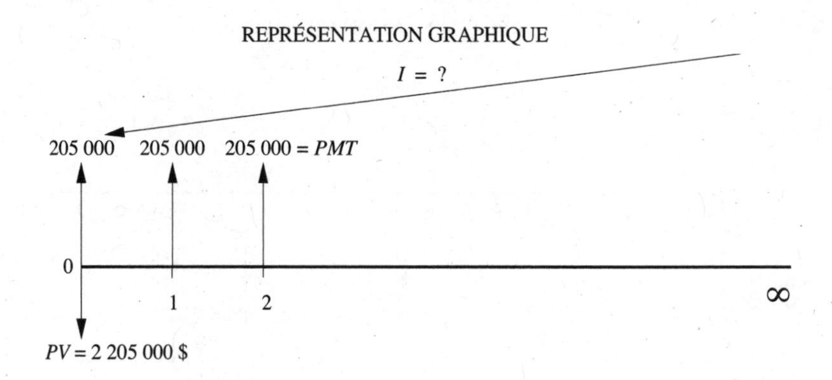

FORMULATION ALGÉBRIQUE

D'abord, calculons le taux effectif :

$$PV = \frac{PMT}{i} + PMT$$

$$2\,205\,000 = \frac{205\,000}{i} + 205\,000$$

$$2\,205\,000 - 205\,000 = \frac{205\,000}{i}$$

d'où :

$$i = \left[\frac{205\,000}{2\,205\,000 - 205\,000}\right]$$

$$i = 10{,}25\ \%$$

Ensuite, le taux nominal :

$$(1 + I/2)^2 - 1 = 0{,}1025$$

d'où :

$$(1 + I/2)^2 = 1 + 0{,}1025$$

$$(1 + I/2) = (1{,}1025)^{1/2}$$

$$I/2 = 1{,}05 - 1$$

$$I/2 = 0{,}05$$

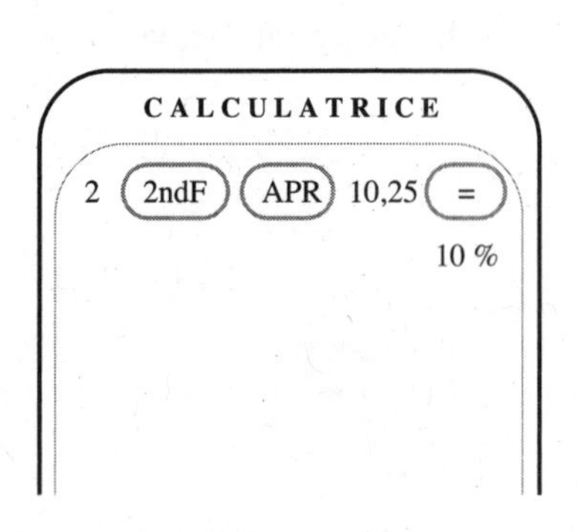

5. Il faudra verser 200 000 $ (salaire annuel divisé en 12 versements) plus un montant mensuel qui permettra, dans 10 ans, de respecter la clause b) du contrat.

Étape 1 : trouver la valeur actuelle, dans 10 ans, des clauses b1 et b2.

REPRÉSENTATION GRAPHIQUE

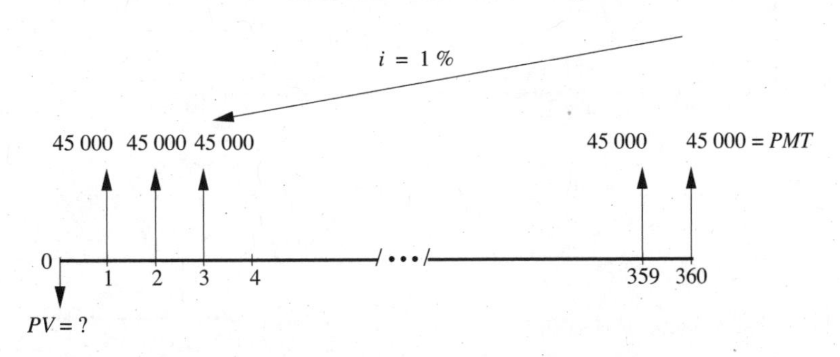

FORMULATION ALGÉBRIQUE

valeur actuelle de

$b1 \quad = \quad 2\,500\,000$ $

valeur actuelle de

$$b2 \quad = \quad PMT\left[\frac{1-(1+i)^{-n}}{i}\right]$$

$$= \quad 45\,000\left[\frac{1-(1+0,12/12)^{-360}}{0,12/12}\right]$$

$$= \quad \underline{\underline{4\,374\,825}}\ \$\ \text{environ}$$

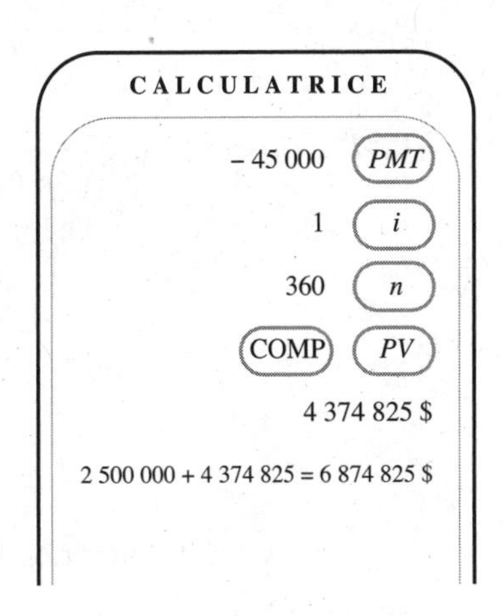

La valeur totale des sommes dont il faudra disposer est de :

2 500 000 (*valeur actuelle de b*1) + 4 374 825 (*valeur actuelle de b*2) = 6 874 825 $

Étape 2 : trouver la mensualité nécessaire à l'accumulation de 6 874 857 $ après 10 ans.

REPRÉSENTATION GRAPHIQUE

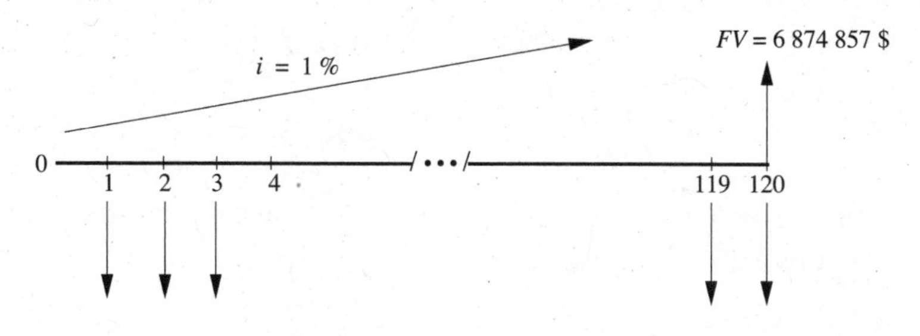

FORMULATION ALGÉBRIQUE

$$PMT = FV\left[\frac{i}{(1+i)^n - 1}\right]$$

$$PMT = 6\,874\,825\left[\frac{0{,}12/12}{(1+0{,}12/12)^{120} - 1}\right]$$

$$PMT = \underline{\underline{29\,886}}\ \$\ \text{environ.}$$

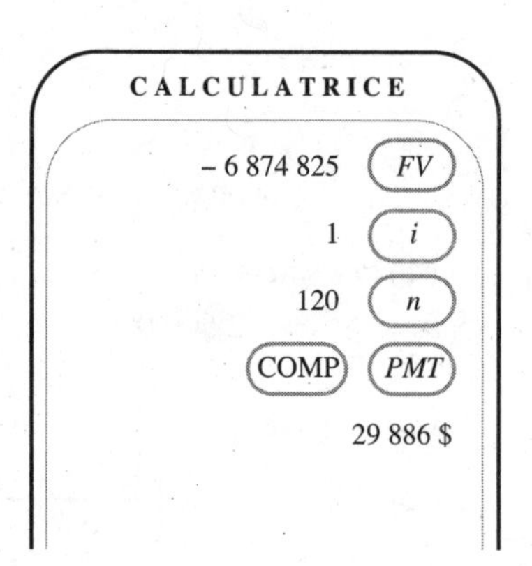

Il faudrait donc débourser, au total, la somme mensuelle de :

29 886 + 200 000 = $\underline{\underline{229\,886}}$ $ pendant 10 ans.

Chapitre 6

La détermination du taux de rendement d'un actif : applications

---

Les questions

1. Qu'est-ce qu'une obligation?

2. Quels sont les deux types de flux monétaires qui caractérisent une obligation?

3. Qu'est-ce qu'un coupon?

4. À quoi correspond la valeur nominale de l'obligation?

5. Qu'est-ce qu'une action?

6. Définissez les deux catégories d'actions.

Les problèmes

1. Monsieur Gagnon vient de s'acheter 20 obligations de la Ville de Chicoutimi. Ces obligations, 20 tranches de 1 000 $, rapportent un taux de coupon de 12,75 % et viennent à échéance dans dix ans. Monsieur Gagnon voudrait connaître l'influence sur le prix de son obligation d'une variation de 1 %, à la hausse et à la baisse, du taux de rendement d'une obligation ayant les mêmes caractéristiques dans un an.

2. Au début des années 1950, le gouvernement canadien a émis des obligations sans date d'échéance. Ces obligations qui existent encore rapportent un taux de coupon de 6 %. Trouvez leur valeur marchande, 40 ans après leur émission, si le taux pour de telles obligations est passé à 11,5 %. Les versements du coupon sont faits deux fois l'an, les intérêts capitalisés deux fois l'an et la valeur nominale est de 1 000 $ par obligation.

3. Votre courtier vous offre une obligation d'Hydro-Québec dont la valeur nominale et de rachat est de 1 000 $, à un prix de 990 $. Cette obligation arrive à échéance dans 20 ans et rapporte un taux d'intérêt sur les coupons de 12 %. Les versements sont faits deux fois par année. Sachant que vous désirez un rendement d'au moins 12,5 % sur de tels titres, achèterez-vous cette obligation? Dites pourquoi.

4. Madame Turcotte a acquis le jour de leur émission, soit le 1er janvier 20X0, 15 obligations de la compagnie General Motors. Ces obligations, d'une valeur au pair de 1 000 $, ont un taux d'intérêt sur les coupons de 12 %. Elles avaient à l'origine une échéance de 20 ans. Les intérêts sont versés le 30 juin et le 31 décembre de chaque année. Le 31 mai 20X5, madame Turcotte désire s'acheter une maison. Elle voudrait donc vendre ses obligations au prix du marché à cette date. Compte tenu que les taux exigés pour une obligation comparable du point de vue du risque et de l'échéance, le 1er janvier 20X5 et le 31 mai 20X5, sont tous les deux de 9 %, à quel prix madame Turcotte pourra-t-elle vendre ses obligations?

5. Vous désirez investir sur le marché obligataire. Vous contactez votre courtier pour connaître les possibilités qui s'offrent à vous. Ce dernier vous recommande d'acheter une obligation donnant un taux d'intérêt sur les coupons de 20 % annuellement. Le coupon est semestriel. La valeur nominale de l'obligation est de

1 000 $. Le courtier qui vous vend cette obligation vous offre de placer vos coupons à un taux de 10 % capitalisé trimestriellement. L'obligation sera remboursable dans neuf ans et demi.

a) Combien êtes-vous prêt à payer pour cette obligation si vous exigez un rendement annuel moyen de 18,74 % pour la durée de ce projet?

b) Achèterez-vous cette obligation à prime ou à escompte?

c) Combien pourriez-vous vendre votre placement dans quatre ans et demi à quelqu'un qui exige un taux de 15,50 %, capitalisé trimestriellement?

d) Quel aura été votre rendement sur la période de quatre ans et demi si vous vendez au prix déterminé en c) et avez acheté au prix déterminé en a)?

6. La compagnie ABC inc. a en circulation 5 000 actions ordinaires. Ces actions sont rachetables en tout temps par la compagnie. L'entreprise a réalisé au cours de l'année 20X0 un bénéfice de 3,25 $ par action. ABC inc. versera l'an prochain 15 % de ce bénéfice par action en dividende. L'entreprise croit pouvoir maintenir une croissance de 10 % sur ce dividende pour les deux années subséquentes et, ensuite, envisage une croissance stable de 8 % de son dividende. L'entreprise voudrait racheter cette année 100 de ces actions à un prix fixe de 3,75 $ ou sur le marché à sa valeur marchande. Sachant que le taux de rendement exigé sur le marché est de 17 %, quelle solution est la plus avantageuse pour ABC inc.?

7. Les actions ordinaires de XYZ inc. ont rapporté en 20X0 un dividende de 0,60 $. La compagnie s'attend à une croissance nulle du dividende pour une période de quatre ans, et elle espère par la suite que son dividende aura une croissance stable de 8 % par année. Si vous désirez un rendement de 13 % sur de telles actions, quel prix seriez-vous prêt à payer?

8. À la suite d'une mauvaise conjoncture économique, la compagnie CDT inc. a réalisé au cours du dernier exercice une énorme perte d'exploitation. À cet effet, la compagnie vient de décider de ne pas verser de dividende pour les quatre prochaines années. L'année dernière, les actionnaires avaient reçu un dividende de 0,75 $, comparativement à 0,45 $ il y a cinq ans. La compagnie croit pouvoir verser un dividende de 0,85 $ dans cinq ans et maintenir la même croissance du dividende, pour les années subséquentes, que celle qui a été réalisée avant le déficit. Le taux de rendement exigé par le marché financier est de 16,5 %. Compte tenu de ces informations, quel prix le marché financier serait-il prêt à payer pour une action de la compagnie CDT inc.?

9. Vous avez 11 500 $ à investir. Nous sommes le 31 décembre 20X0, et ce montant qui repose dans votre compte de banque qui vous rapporte un intérêt nominal de 11 % capitalisé mensuellement. Deux projets mutuellement exclusifs s'offrent à vous. Il vous faudra choisir celui des deux qui vous permettra de maximiser votre richesse finale. Votre horizon d'investissement est de quinze ans.

Projet A : Vous pouvez acheter aujourd'hui au prix de 4 100 $ une obligation dont la valeur nominale est de 5 000 $ et qui offre un rendement à échéance de 14,5 % capitalisé semestriellement. Cette obligation arrivera à échéance le 30 juin 20X15; le premier coupon est encaissable le 30 janvier 20X1.

Projet B : Vous pourriez prêter aujourd'hui la somme de 7 500 $ sur hypothèque pour une période de quinze ans au taux effectif annuel de 17 %. Les remboursements seraient effectués à la fin de chaque mois. Les 4 000 $ restants seraient prêtés pour leur part en échange d'un billet d'une valeur de 6 250 $ venant à échéance dans cinq ans.

On vous demande :

a) En tenant compte du fait que toutes les entrées de fonds seront réinvesties dans votre compte de banque, quel est celui des deux projets qui vous permettra de maximiser votre richesse au bout de quinze ans?

b) Quel rendement annuel réaliseriez-vous avec le projet A et avec le projet B?

10. Une compagnie a émis il y a dix ans des obligations perpétuelles comportant un intérêt annuel de 5 % (versé une fois l'an) et ayant une valeur nominale de 1 000 $.

a) Si les taux d'intérêt sur le marché sont à 10 % actuellement, à quel prix achèteriez-vous ces obligations aujourd'hui?

b) Si les obligations émises il y a dix ans avaient eu une échéance de 20 ans, combien les auriez-vous payées aujourd'hui?

c) Si les obligations émises il y a dix ans avaient comporté une échéance de 11 ans, combien les auriez-vous payées aujourd'hui?

d) En supposant que les obligations en a), b) et c) comportent le même niveau de risque, laquelle serait-il préférable d'acquérir?

11. La compagnie Capital inc. vient d'émettre des actions ordinaires comportant un dividende semestriel non croissant de 2,50 $. Acceptant l'hypothèse qu'une compagnie ne fera jamais faillite et vivra éternellement, les dirigeants de Capital inc., de même que les investisseurs, s'attendent donc à un dividende perpétuel.

a) Si le marché actuel commande un rendement de 16 % capitalisé semestriellement, combien paieriez-vous une action de Capital inc.?

b) Combien paieriez-vous la même action si le rendement exigé était de 16,25 % capitalisé trimestriellement?

c) Et si le taux exigé était de 18,33 % capitalisé annuellement?

Les réponses

1. Une obligation est un contrat de dette entre l'émetteur de l'obligation (ou emprunteur) et son détenteur (ou obligataire). Par ce contrat, le détenteur de l'obligation devient le créancier de l'émetteur qui s'engage à lui payer des revenus fixes périodiques tant que l'obligation est en sa possession, et ce, pour un nombre prédéterminé d'années. Ce contrat prend naissance au moment de l'émission de l'obligation qui se fait soit par les entreprises, soit par les gouvernements. L'obligation donne droit à des revenus fixes tant qu'elle est « vivante », en général sur une période de 15 à 25 ans. À la fin de cette période, c'est-à-dire à l'échéance, l'émetteur doit rembourser le montant de la dette à l'obligataire, mettant ainsi fin au contrat et, par conséquent, à l'obligation.

2. L'obligation est un titre financier caractérisé par les deux types de flux monétaires suivants :

- une série de flux monétaires périodiques constants, appelés *coupons*;
- un montant unique final appelé *valeur nominale de l'obligation* ou *principal*.

3. Les coupons peuvent être assimilés à des intérêts dans la mesure où ils constituent une rémunération pour l'acheteur de l'obligation. Ils sont versés périodiquement (en général, chaque semestre) et sont déterminés de la façon suivante :

$$coupon = valeur\ nominale\ de\ l'obligation \times taux\ de\ coupon \qquad \textbf{Éq. 6.1}$$

$$C = VN \times I_c$$

Le taux de coupon (I_c) représente le taux inscrit sur l'obligation et sert à déterminer le montant du coupon semestriel versé. Sauf exception, le taux de coupon est toujours exprimé sur une base nominale et ce taux nominal est toujours semestriel. Cette fréquence semestrielle des coupons constitue une caractéristique propre aux obligations.

4. La valeur nominale de l'obligation correspond au montant qui est versé lorsque l'obligation atteint son échéance. On appelle *échéance* la date de remise de la dette ou encore la date de remboursement du principal. L'échéance marque en fait la fin du contrat de dette. Une caractéristique des obligations est que l'obligation n'est presque jamais vendue à sa valeur nominale. De plus, l'obligation est généralement vendue plus d'une fois avant son échéance.

5. Une action est un actif financier et, à ce titre, elle rapporte à l'investisseur un rendement sous forme de dividende. Les actions se différencient des obligations en ce qui concerne les caractéristiques des flux monétaires afférents. On se souviendra que, pour les obligations, les flux monétaires (c'est-à-dire les coupons) sont des flux monétaires *périodiques et constants*. En outre, pour l'obligation, il y a toujours une valeur nominale à encaisser à l'échéance. Les flux monétaires des actions, pour leur part, sont des flux monétaires *perpétuels et variables* (en fréquence et en montant). L'action n'a pas de date d'échéance comme c'est le cas pour l'obligation. L'action est donc assimilée à une perpétuité.

Les actions se différencient également des obligations en ce qui concerne la nature de l'actif. L'obligation constitue un contrat de dette par lequel l'émetteur s'engage à payer au détenteur de l'obligation des revenus fixes. L'action constitue, quant à elle, un avoir et un droit de propriété pour l'acheteur. L'actionnaire partage la propriété de l'entreprise et vote sur le montant et la fréquence des dividendes (flux monétaires) qui lui seront versés.

6. Il existe deux catégories d'actions : les actions ordinaires et les actions privilégiées.

L'*action ordinaire* est un droit de propriété qui permet à l'actionnaire d'encaisser des versements conditionnels appelés dividendes. Les actionnaires ordinaires sont considérés comme les propriétaires de l'entreprise, et la plupart des actions donnent à leurs détenteurs un droit de vote à l'occasion des assemblées générales. Advenant la liquidation de l'entreprise, l'actionnaire ordinaire doit attendre que les obligataires et les actionnaires privilégiés soient payés pour être rémunéré à son tour. Les dividendes qu'il reçoit sont donc résiduels. Ainsi, le fait de détenir les actions d'une entreprise donne droit à des dividendes seulement si l'entreprise est en mesure d'en verser. C'est pour cette raison qu'on dit que les dividendes sont conditionnels.

Les *actions privilégiées* constituent une catégorie intermédiaire entre les obligations et les actions ordinaires. Les actionnaires privilégiés reçoivent des dividendes normalement fixes, d'où la similitude avec les obligations, mais à condition que le conseil d'administration décide de distribuer des dividendes, ce qui peut ne pas être le cas si l'entreprise est en mauvaise situation financière. Les dividendes privilégiés sont toujours prioritaires par rapport aux dividendes ordinaires : ils sont donc distribués avant les dividendes ordinaires. De plus, les actions privilégiées, contrairement aux actions ordinaires, ne donnent pas de droit de vote et ne portent donc pas atteinte au contrôle de l'entreprise. Les actions privilégiées ont une valeur nominale et sont souvent classées en différentes catégories selon les privilèges ou les restrictions qui s'y rattachent.

Les solutions

1.

REPRÉSENTATION GRAPHIQUE

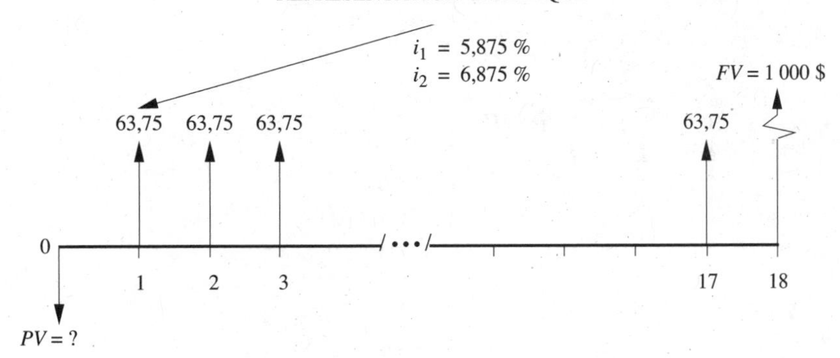

FORMULATION ALGÉBRIQUE

$C = 63{,}75\ \$$

$VN = 1\,000\ \$$

$N = 9$

$m = 2$

$n = 9 \times 2$

$i = \frac{I}{m}$

Diminution de 1 % :

Si

$i = 0{,}1175/2 = 0{,}05875$

$$P_0 = C\left[\frac{1-(1+i)^{-n}}{i}\right] + VN(1+i)^{-n}$$

$$P_0 = 63{,}75\left[\frac{1-(1{,}05875)^{-18}}{0{,}05875}\right] + 1\,000(1{,}05875)^{-18}$$

$$P_0 = \underline{\underline{1\,055}}\ \$$$

Augmentation de 1 % :

Si

$i = 0{,}1375/2 = 0{,}06875$

$$P_0 = C\left[\frac{1-(1+i)^{-n}}{i}\right] + VN(1+i)^{-n}$$

$$P_0 = 63{,}75\left[\frac{1-(1{,}06875)^{-18}}{0{,}06875}\right] + 1\,000(1{,}06875)^{-18}$$

$$P_0 = \underline{\underline{949}}\ \$$$

CALCULATRICE

Diminution de 1 %

1 000 (FV)

63,75 (PMT)

5,875 (i)

18 (n)

(COMP) (PV)

1 055 $

Augmentation de 1 %

1 000 (FV)

63,75 (PMT)

6,875 (i)

18 (n)

(COMP) (PV)

– 949 $

2.

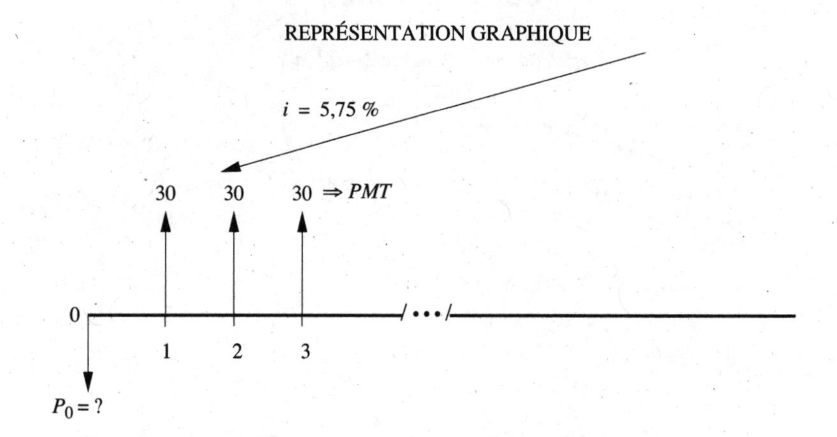

FORMULATION ALGÉBRIQUE

P_0 = à déterminer

C = 30

I = 11,5 %

m = 2

$$P_0 = \frac{30}{0{,}0575}$$

$$P_0 = \underline{\underline{521{,}74}}\ \$$$

3.

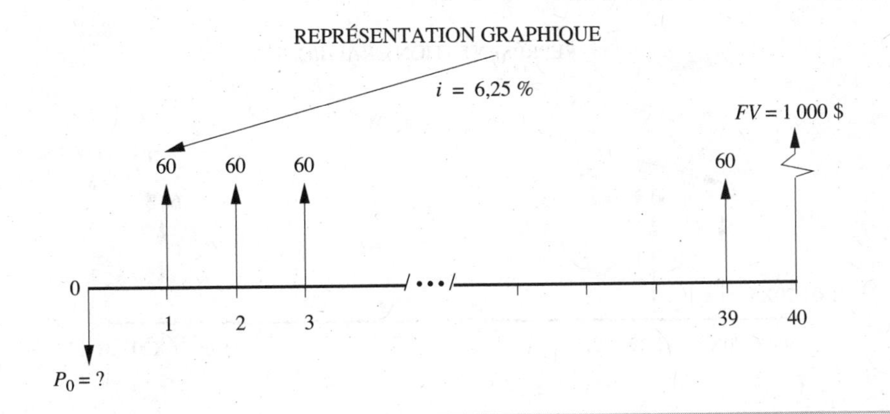

FORMULATION ALGÉBRIQUE

C = 60 $

I = 12,5 %

N = 20

m = 2

i = 12,5 % = 6,25 %

VN = 1 000 $

n = 20 × 2 = 40

$$P_0 = C\left[\frac{1-(1+i)^{-n}}{i}\right] + VN(1+i)^{-n}$$

$$P_0 = 60\left[\frac{1-(1{,}0625)^{-40}}{0{,}0625}\right] + 1\,000(1{,}0625)^{-40}$$

$$P_0 = \underline{\underline{963{,}54}}\ \$$$

CALCULATRICE

60	PMT
1 000	FV
6,25	i
40	n
COMP	PV
	– 963,54 $

Réponse : non, car le prix maximal à payer pour cette obligation, si vous souhaitez obtenir un rendement d'au moins 12,5 %, est de 963,54 $ et non 990 $.

4. Étape 1 : faire l'évaluation au 01-01-20X5.

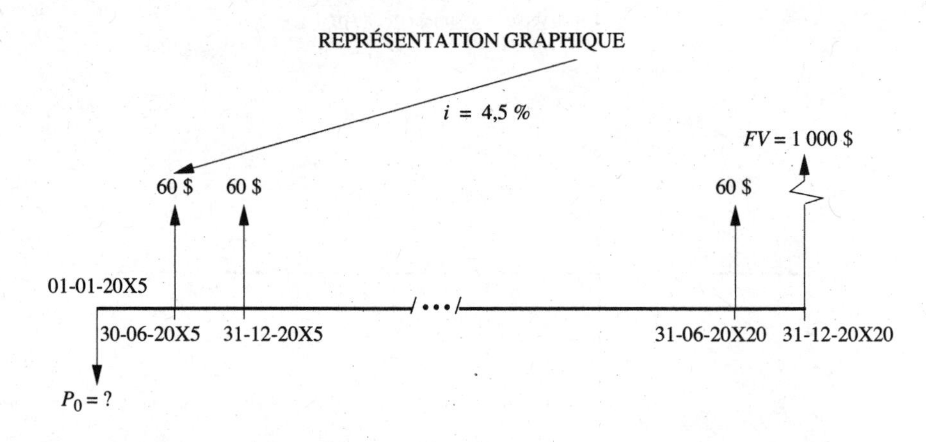

FORMULATION ALGÉBRIQUE

$C = 60\ \$$

$N = 15$

$m = 2$

$I = 9\ \%$

$I = 9\ \%/2 = 4{,}5\ \%$

$VN = 1\ 000\ \$$

$n = 15 \times 2 = 30$

$$P_0 = C\left[\frac{1-(1+i)^{-n}}{i}\right] + VN(1+i)^{-n}$$

$$P_0 = 60\left[\frac{1-(1{,}045)^{-30}}{0{,}045}\right] + 1\ 000(1{,}045)^{-30}$$

$$P_0 = \underline{\underline{1\ 244{,}33}}\ \$$$

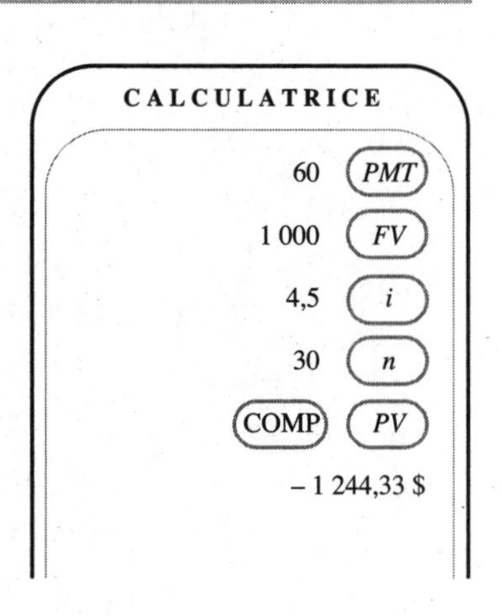

Étape 2 : faire l'évaluation au 31-05-20X5 de l'obligation dont la valeur a été calculée au 01-01-20X5.

REPRÉSENTATION GRAPHIQUE

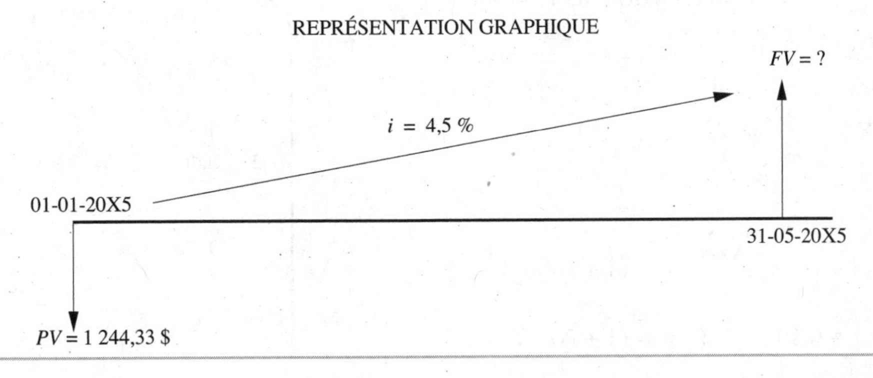

FORMULATION ALGÉBRIQUE

FV = à déterminer

PV = 1 244,33 $

I = 9 %

m = 2

i = 9 %/2 = 4,5 %

N = 0,4167 = 5/12 de 1 an

$n = N \times m$

n = 0,4167 × 2 = 0,8333

$$FV = PV(1 + I/m)^{N \times m}$$

$$FV = 1\,244{,}33(1{,}045)^{0{,}8333}$$

$$FV = \underline{\underline{1\,290{,}82}}\ \$$$

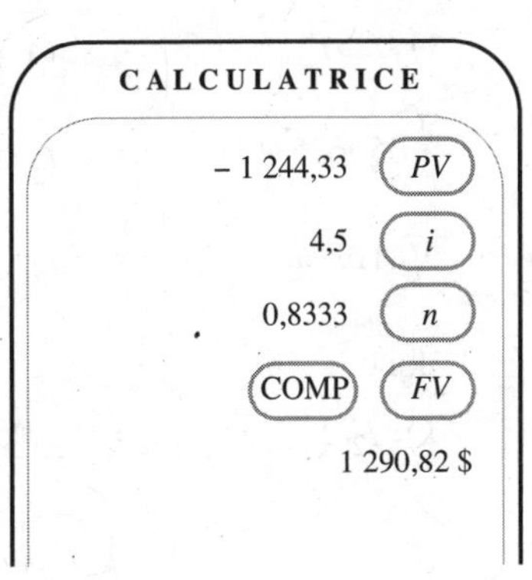

5.

a) **Étape 1 :** convertir le taux trimestriel en taux semestriel équivalent.

FORMULATION ALGÉBRIQUE

$I_1 = 10\ \%$

$m_1 = 4$

$N = 1$

$m_2 = 2$

$$(1 + I_1/m_1)^{N \times m_1} = (1 + I_2/m_2)^{N \times m_2}$$

$$(1 + 0{,}10/4)^4 = (1 + I_2/2)^2$$

$$(1{,}025)^{4/2} = (1 + I_2/2)$$

$$1{,}050625 - 1 = I_2/2$$

$$10{,}125\ \% = I_2$$

donc

$$i = I_2/2 = \underline{\underline{5{,}0625}}\ \%$$

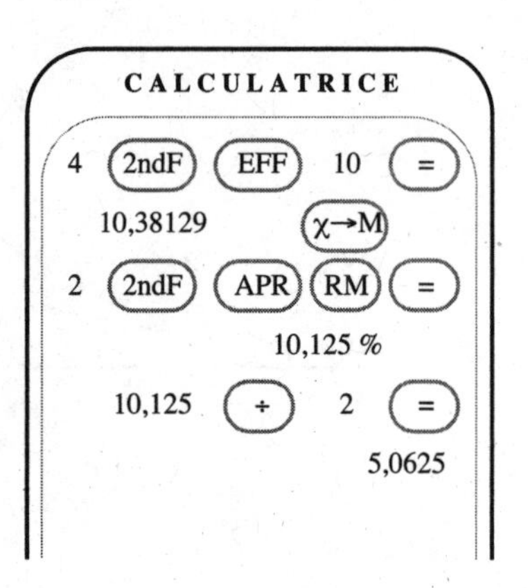

Étape 2 : calculer la somme accumulée (*FV*) dans 9,5 ans.

REPRÉSENTATION GRAPHIQUE

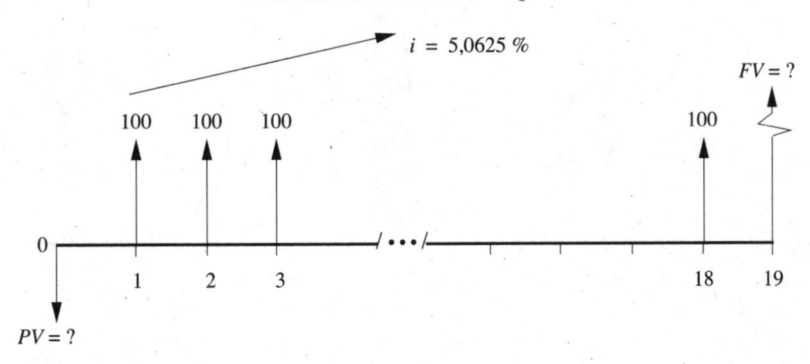

FORMULATION ALGÉBRIQUE

PMT	=	100 \$, par semestre
I	=	10,125 %
N	=	9,5
m	=	2
n	=	$N \times m = 19$
VN	=	1 000
i	=	10,125 % /2 = 5,0625 %

$$FV = PMT\left[\frac{(1 + I/m)^n - 1}{I/m}\right] + VN$$

$$FV = 100\left[\frac{(1 + 0{,}05625)^{19} - 1}{0{,}050625}\right] + 1\,000$$

$$FV = 3\,072{,}95 + 1\,000$$

$$FV = \underline{\underline{4\,072{,}95}}\ \$$$

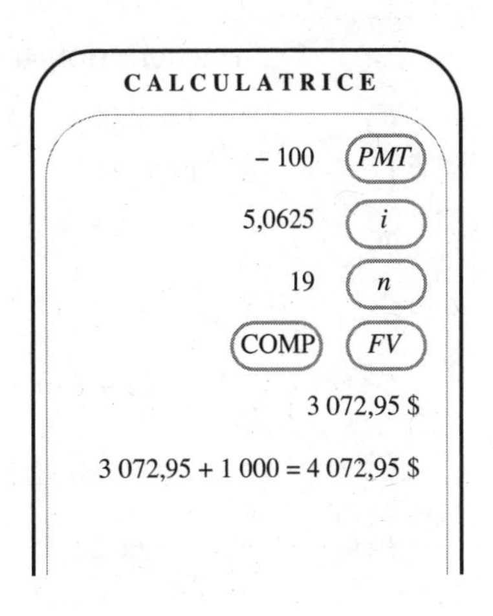

Étape 3 : déterminer le prix (*PV*).

REPRÉSENTATION GRAPHIQUE

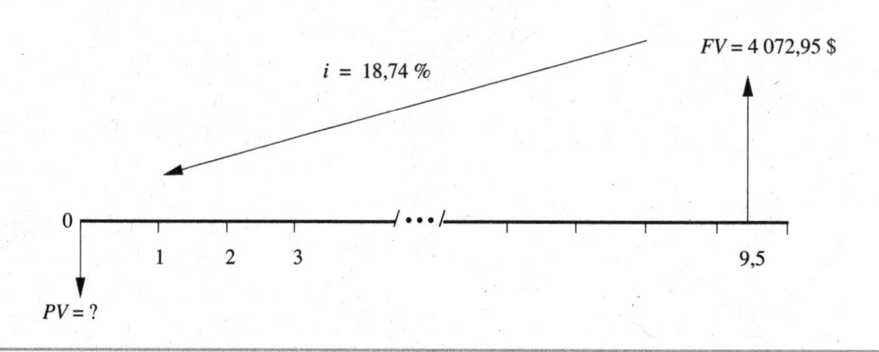

FORMULATION ALGÉBRIQUE

$FV = 4\,072{,}95$ \$

$I = 18{,}74\ \%$

$m = 1$

$N = 9{,}5$

$$PV = FV(1 + I/m)^{-N \times m}$$

$$PV = 4\,072{,}95(1{,}1874)^{-9{,}5}$$

$$PV = \underline{\underline{796{,}60}}\ \$$$

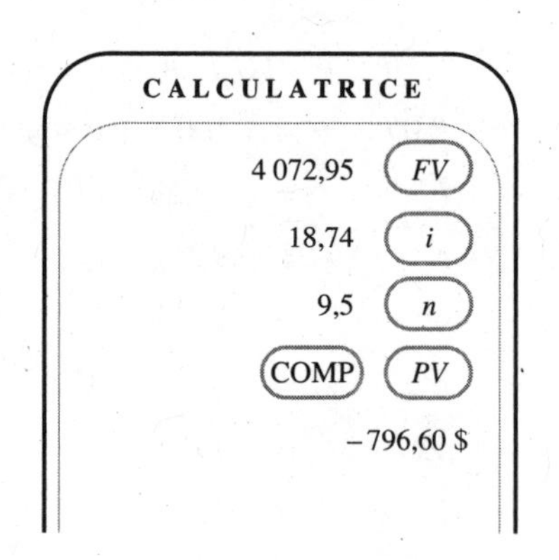

b) À escompte, car le prix payé est inférieur à la valeur nominale.

c) **Étape 1 :** convertir le taux trimestriel en taux semestriel équivalent.

FORMULATION ALGÉBRIQUE

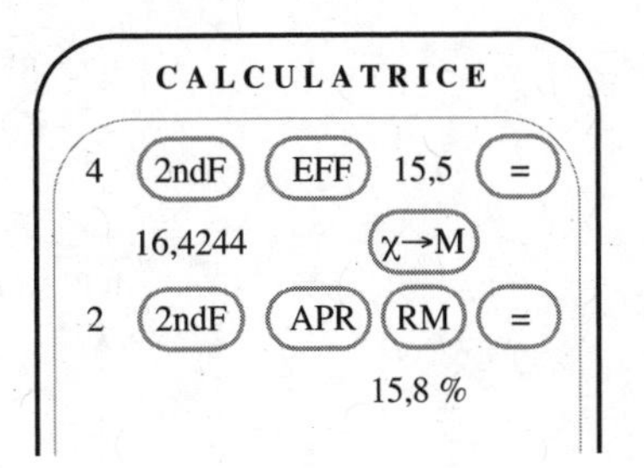

$$(1 + I_1/m_1)^{N \times m_1} = (1 + I_2/m_2)^{N \times m_2}$$

$I_1 = 15{,}50\ \%$

$m_1 = 4$

$m_2 = 2$

$$(1 + 0{,}155/4)^4 = (1 + I_2/2)^2$$

$$(1{,}03875)^4 = (1 + I_2/2)^2$$

$$(1{,}03875)^{4/2} = (1 + I_2/2)$$

$$1{,}079 - 1 = I_2/2$$

$$15{,}8\ \% = I_2$$

Étape 2 : déterminer le prix (*PV*).

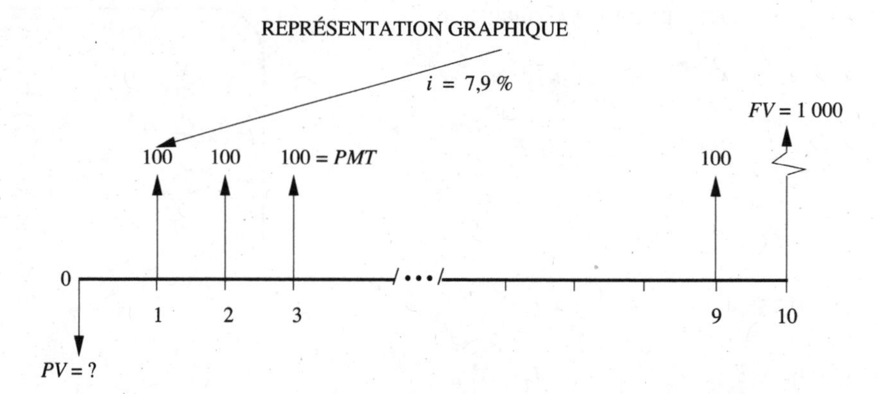

FORMULATION ALGÉBRIQUE

$C = 100\ \$$

$I = 15{,}8\ \%$

$m = 2$

$i = 15{,}8\ \%/2 = 7{,}9\ \%$

$N = 5$

$VN = 1\ 000\ \$$

$n = 5 \times 2 = 10$

$$P_0 = C\left[\frac{1-(1+i)^{-n}}{i}\right] + VN(1+i)^{-n}$$

$$P_0 = 100\left[\frac{1-(1{,}079)^{-10}}{0{,}079}\right] + 1\ 000(1{,}079)^{-10}$$

$$P_0 = \underline{\underline{1\ 141{,}55}}\ \$$$

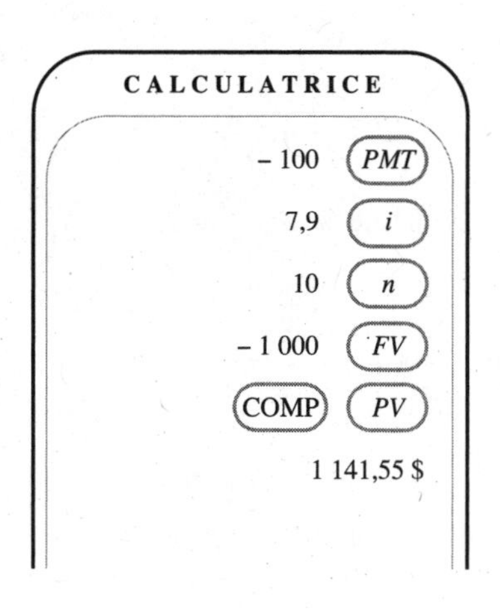

d) déterminer le taux de rendement.

REPRÉSENTATION GRAPHIQUE

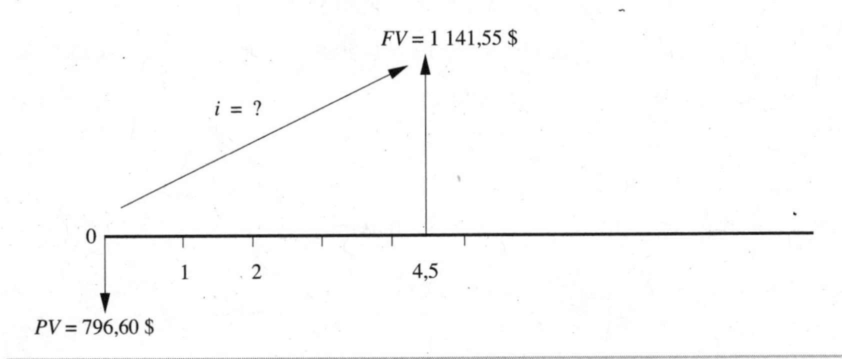

FORMULATION ALGÉBRIQUE

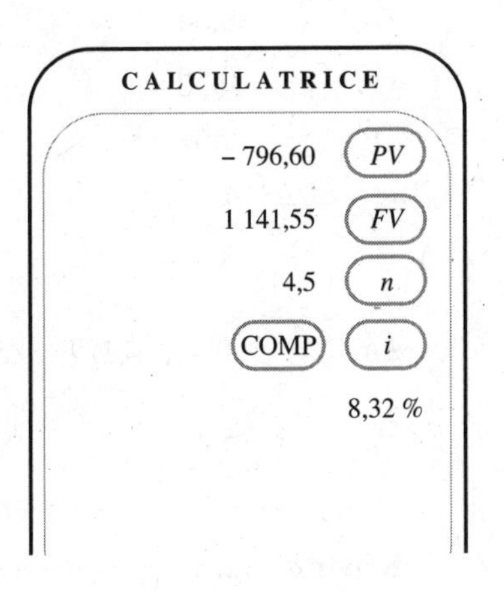

$$PV = FV(1 + I/m)^{-N \times m}$$

$$PV = 796{,}60\ \$$$

$$FV = 1\ 141{,}55\ \$$$

$$m = 1$$

$$N = 4{,}5$$

$$796{,}60 = 1\ 141{,}55(1 + I)^{-4{,}5}$$

$$\left[\frac{796{,}60}{1\ 141{,}55}\right] = (1 + I)^{-4{,}5}$$

$$(0{,}6978)^{1/-4{,}5} = 1 + I$$

$$1{,}0832 - 1 = I$$

$$\underline{\underline{8{,}32\ \%}} = I$$

6. **Étape 1 :** déterminer le dividende pour les quatre prochaines années.

D_1	=	3,25 \$ × 0,15=			0,49 \$
D_2	=	$D_1 \times 1{,}10$	=	0,49 \$ × 1,10=	0,54 \$
D_3	=	$D_2 \times 1{,}10$	=	0,54 \$ × 1,10=	0,59 \$
D_4	=	$D_3 \times 1{,}08$	=	0,59 \$ × 1,08=	0,64 \$

Étape 2 : déterminer le prix selon le taux du marché.

$$P_0 = D_1(1+k)^{-1} + D_2(1+k)^{-2} + D_3(1+k)^{-3} + \frac{D_4}{(k-g)}(1+k)^{-3}$$

D_1 = 0,49

D_2 = 0,54

D_3 = 0,59

D_4 = 0,64

k = 17 %

g = 8 %

$$P_0 = 0{,}49(1{,}17)^{-1} + 0{,}54(1{,}17)^{-2} + 0{,}59(1{,}17)^{-3} + \frac{0{,}64}{(0{,}17 - 0{,}08)}(1{,}17)^{-3}$$

P_0 = 5,62 \$

Réponse : racheter les actions au prix fixe de 3,75 \$.

7. $P_0 = D_1(1+k)^{-1} + D_2(1+k)^{-2} + D_3(1+k)^{-3} + D_4(1+k)^{-4} + \frac{D_5}{k-g}(1+k)^{-4}$

$D_1 = 0{,}60$

$D_2 = 0{,}60$

$D_3 = 0{,}60$

$D_4 = 0{,}60$

$D_5 = 0{,}65$

$k = 13\ \%$

$g = 8\ \%$

$$P_0 = 0{,}60(1{,}13)^{-1} + 0{,}60(1{,}13)^{-2} + 0{,}60(1{,}13)^{-3} + 0{,}60(1{,}13)^{-4} + \frac{0{,}65}{(0{,}13 - 0{,}08)}(1{,}13)^{-4}$$

$$P_0 = \underline{\underline{9{,}76}}\ \$$$

8. Nous savons que le taux de croissance est exprimé sur une base annuelle, donc :

REPRÉSENTATION GRAPHIQUE

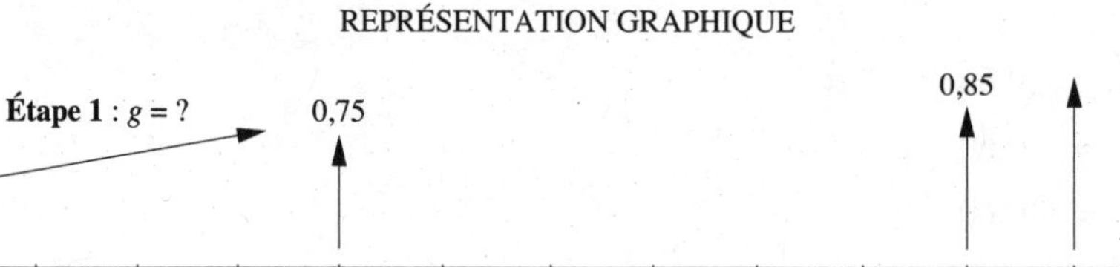

FORMULATION ALGÉBRIQUE

Étape 1 : déterminer le taux de croissance du dividende.

$PV = 0{,}45\ \$$

$FV = 0{,}75\ \$$

$n = 4$

$FV = PV(1 + i)^n$

$0{,}75 = 0{,}45(1 + i)^4$

$\frac{0{,}75}{0{,}45} = (1 + i)^4$

$(1{,}66667)^{1/4} = (1 + i)$

$1{,}1362 - 1 = \text{i}$

$i = 13{,}62\ \%$

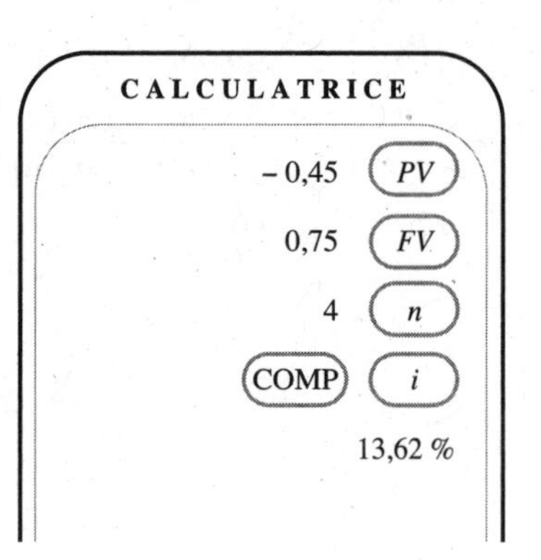

Nous constatons qu'en modifiant l'identificateur des variables ($D_N = FV, D_0 = PV$), nous aurions pu utiliser l'équation suivante :

$D_N = D_0(1 + k)^N$

Étape 2 : déterminer le prix.

On doit déterminer le prix de l'action en l'an 4, puis actualiser cette valeur en dollars de l'an 0.

$$P_0 = \frac{D_5}{k-g}(1+k)^{-4}$$

$$D_5 = 0{,}85$$

$$k = 16{,}5\ \%$$

$$g = 13{,}62\ \%$$

$$P_0 = \frac{0{,}85}{0{,}0288}(1{,}165)^{-4}$$

$$P_0 = \underline{\underline{16{,}02}}\ \$$$

9.

a) **Projet A**

Étape 1 : déterminer la valeur des coupons (C) de l'obligation.

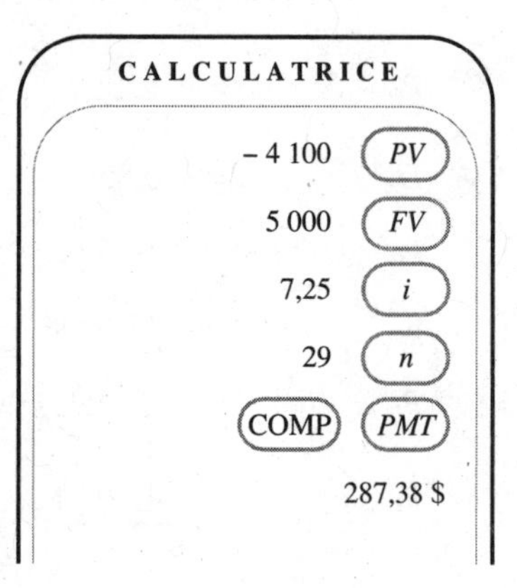

(Le rendement à l'échéance de 14,5 % représente le rendement du marché, et non le taux de coupon de l'obligation.)

$P_0 = 4\,100$ $

$VN = 5\,000$ $

$m = 2$

$I = 14{,}5\ \%$

$i = I/m = 14{,}5\ \% / 2 = 7{,}25\ \%$

$N = 14{,}5$

$n = 14{,}5 \times 2 = 29$

$$P_0 = C\left[\frac{1-(1+i)^{-n}}{i}\right] + VN(1+i)^{-n}$$

$$4\,100 = C\left[\frac{1-(1{,}0725)^{-29}}{0{,}0725}\right] + 5\,000(1{,}0725)^{-29}$$

$C = \underline{\underline{287{,}38}}$ $

Étape 2 : déterminer la *FV* au 31-12-20X15.

- Conversion du taux mensuel en taux équivalent semestriel :

$$(1 + I_1/m_1)^{N \times m_1} = (1 + I_2/m_2)^{N \times m_2}$$

I_1 = 11 %

m_1 = 12

I_2 = à déterminer

m_2 = 2

N = 1

$$\left[1 + \frac{0,11}{12}\right]^{12} = (1 + I_2/2)^2$$

$$(1,009167)^{12} = (1 + I_2/2)^2$$

$$(1,009167)^{12/2} = 1 + I_2/2$$

$$1,05628 - 1 = I_2/2$$

$$11,256\ \% = I_2$$

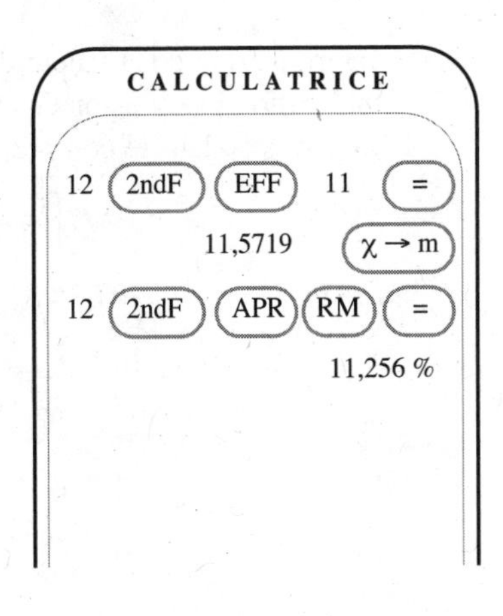

- Détermination de la valeur future, le 31-12-20X15, du solde non investi en obligations :

$$FV = PV(1 + I/m)^{N \times m}$$

VP = 11 500 – 4 100 = 7 400

I = 11 %

m = 12

N = 15

n = $N \times m = 15 \times 12 = 180$

FV = $7\,400(1,009167)^{180}$

FV = 38 245,38 $, au 31-12-20X15

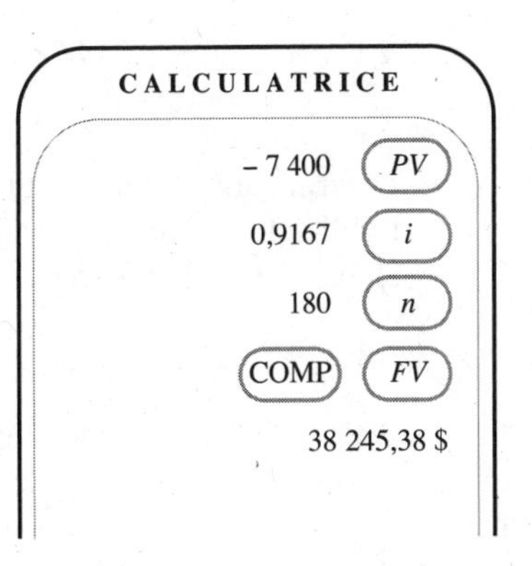

- Détermination de la valeur des coupons reçus de l'obligation jusqu'à son échéance, le 30-06-20X15, et réinvestis dans le compte de banque :

$$FV = PMT\left[\frac{(1+I/m)^{N\times m}-1}{I/m}\right]$$

$$PMT = 287{,}38\ \$$$

$$N = 14{,}5$$

$$m = 2$$

$$I = 11{,}256\ \%$$

$$FV = 287{,}38\left[\frac{(1{,}05628)^{29}-1}{1{,}05628}\right]$$

$$FV = 19\,879{,}65\ \$ \text{ au 30-06-20X15}$$

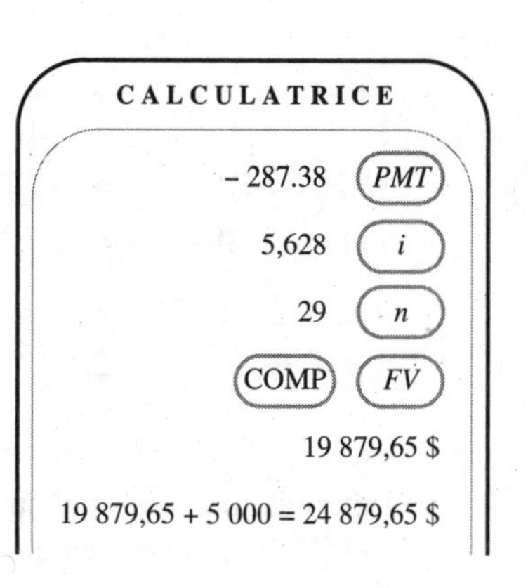

- Détermination de la valeur totale du principal de l'obligation et du réinvestissement des coupons reçus, le 30-06-20X15 :

$$FV = 19\,879{,}65 + 5\,000$$

$$FV = 24\,879{,}65\ \$ \text{ au 30-06-20X15}$$

- Détermination de la valeur totale du principal de l'obligation et du réinvestissement des coupons reçus, le 31-12-20X15 :

$$FV = PV(1+I/m)^{N\times m}$$

$$PV = 24\,879{,}65\ \$$$

$$I = 11{,}256\ \%$$

$$N = 0{,}5$$

$$m = 2$$

$$FV = 26\,279{,}88\ \$ \text{ au 31-12-20X15}$$

CALCULATRICE

– 24 879,65 PV

5,628 i

1 n

COMP FV

26 279,88 $

- Total = 26 279,88 + 38 245,38 = <u>64 525,26</u> $

Projet B

Étape 1 : déterminer la valeur du billet au 31-12-20X15.

FV	=	$PV(1 + I/m)^{N \times m}$
PV	=	6 250 $, au 31-12-20X5
I	=	11,256 %
N	=	10
m	=	2
FV	=	6 250 $(1{,}05628)^{20}$
FV	=	18 683,63 $, au 31-12-20X15

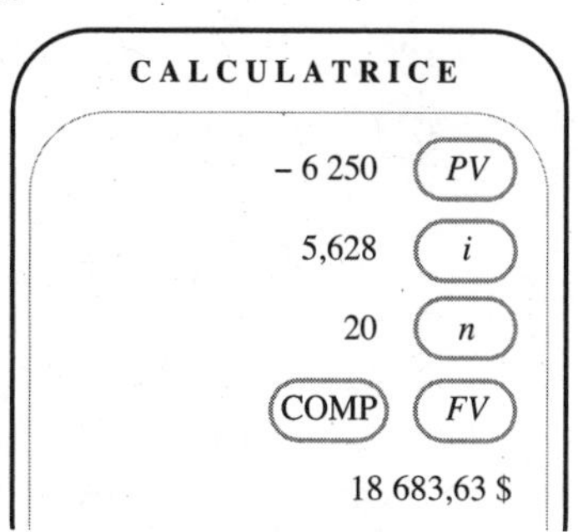

Étape 2 : déterminer les *PMT* du prêt hypothécaire.

- Conversion du taux annuel en taux mensuel équivalent :

$(1 + I_1/m_1)^{N \times m}$	=	$(1 + I_2/m_2)^{N \times m_2}$
I_1	=	17 %
m_1	=	1
m_2	=	12
N	=	1
$(1{,}17)$	=	$(1 + I_2/12)^{12}$
$(1{,}17)^{1/12}$	=	$1 + I_2/12$
$1{,}01317 - 1$	=	$I_2/12$
15,8 %	=	I_2
$I_2/12$	=	i = 1,317 % par mois

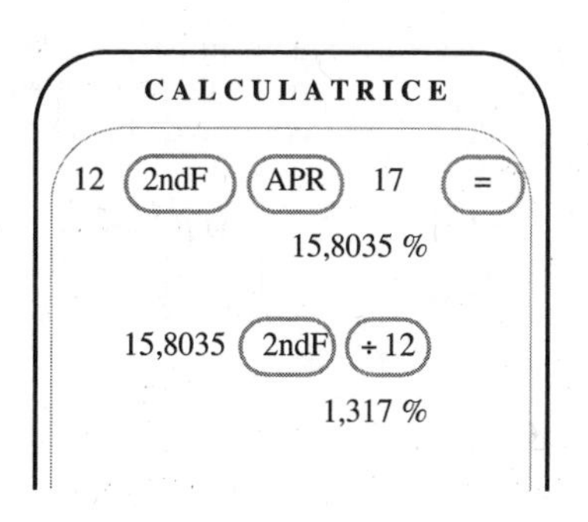

- Calcul des *PMT* :

$$PV = PMT\left[\frac{1-(i+i)^{n}}{i}\right]$$

PV = 7 500 \$

I = 15,8 %

m = 12

i = I/m = 1,317 % par mois

N = 15

n = $N \times m$ = 180

$$7\,500 = PMT\left[\frac{1-(1{,}01317)^{-180}}{0{,}01317}\right]$$

PMT = 109,13 \$

CALCULATRICE

− 7 500	(PV)
1,317	(i)
180	(n)
(COMP)	(PMT)
	109,13 \$

Étape 3 : déterminer la valeur future des paiements reçus de l'hypothèque, et réinvestis dans le compte de banque, au 31-12-20X15.

$$FV = PMT\left[\frac{(1+i)^{n}-1}{i}\right]$$

PMT = 109,13 \$

I = 11 %

m = 12

i = I/m = 0,11/12 = 0,917 % par mois

N = 15

n = $N \times m$ = 180

$$FV = 109{,}11\left[\frac{(1{,}00917)^{180}-1}{0{,}00917}\right]$$

FV = 49 638,81 \$, au 31-12-20X15

CALCULATRICE

− 109,13	(PMT)
0,917	(i)
180	(n)
(COMP)	(FV)
	49 638,81 \$

Étape 4 : déterminer la *FV* totale.

49 638,81 + 18 683,63 = 68 322,44 \$

Réponse : le projet B.

b) **Projet A**

$$PV = FV(1 + I/m)^{-N \times m}$$
$$PV = 11\,500\ \$$$
$$FV = 64\,525{,}26\ \$$$
$$N = 15$$
$$m = 1$$
$$n = N \times m = 15$$
$$11\,500 = 64\,525{,}26(1 + I)^{-15}$$
$$\frac{11\,500}{64\,525{,}26} = (1 + I)^{-15}$$
$$(0{,}1782)^{-1/15} = 1 + I$$
$$1{,}1219 - 1 = I$$
$$\underline{\underline{12{,}19}}\ \% = I$$

CALCULATRICE

- 11 500 (PV)
15 (n)
64 525,26 (FV)
(COMP) (i)
12,19 %

Projet B

$$PV = FV(1 + I/m)^{-N \times m}$$
$$PV = 11\,500\ \$$$
$$FV = 68\,322{,}44\ \$$$
$$N = 15$$
$$m = 1$$
$$n = N \times m = 15$$
$$11\,500 = 68\,322{,}44(1 + I)^{-15}$$
$$\underline{\underline{12{,}61}}\ \% = I$$

CALCULATRICE

- 11 500 (PV)
15 (n)
68 322,44 (FV)
(COMP) (i)
12,61 %

10.

a) $PV = \frac{PMT}{i}$

$PV = \frac{(0{,}05 \times 1\,000)}{0{,}10} = \underline{\underline{500}}\ \$$

b) $PV = PMT\left[\frac{1-(1+i)^{-n}}{i}\right] + FV(1+i)^{-n}$

$PV = (0{,}05 \times 1\,000)\left[\frac{1-(1+0{,}10)^{-10}}{0{,}10}\right] +$

$1\,000(1{,}10)^{-10}$

$PV = 307{,}22 + 385{,}54$

$PV = \underline{\underline{692{,}76}}\ \$$

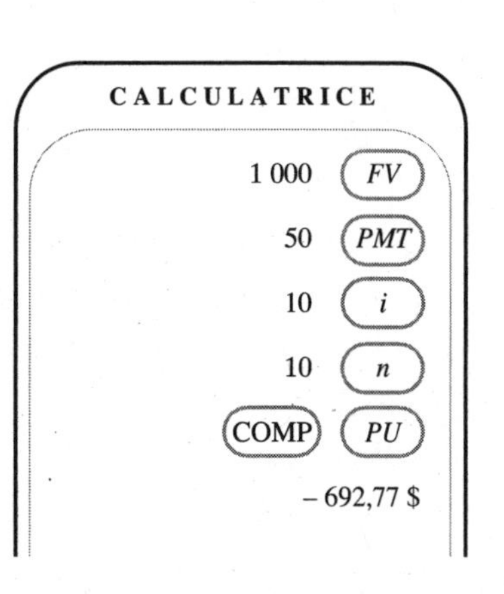

c) $PV = (0{,}05 \times 1\,000)\ (1{,}10)^{-1} + 1\,000(1{,}10)^{-1}$

$PV = 45{,}45 + 909{,}09$

$PV = \underline{\underline{954{,}54}}\ \$$

d) Aucune n'est préférable à l'autre. L'investisseur choisirait l'obligation en fonction de sa préférence pour l'échéance seulement.

11.

a) On a :

$i = I/m = 0{,}16/2 = 0{,}08$ ou 8 % par semestre

$$PV = \frac{PMT}{i}$$

$$PV = \frac{2{,}50}{0{,}08}$$

$$PV = \underline{\underline{31{,}25\ \$}}$$

b) Convertir le taux trimestriel en taux semestriel équivalent :

$$(1 + I_1/m_1)^{m_1} = (1 + I_2/m_2)^{m_2}$$

$$\left[1 + \frac{0{,}1625}{4}\right]^4 = (1 + I_2/2)^2$$

$$(1{,}040625)^{4/2} = (1 + I_2/2)$$

$$1{,}0829 - 1 = I_2/2$$

$$I_2/2 = i = 8{,}29\ \%\ \text{par semestre}$$

$$PV = \frac{PMT}{i}$$

$$PV = \frac{2{,}50}{0{,}0829}$$

$$PV = \underline{\underline{30{,}16\ \$}}$$

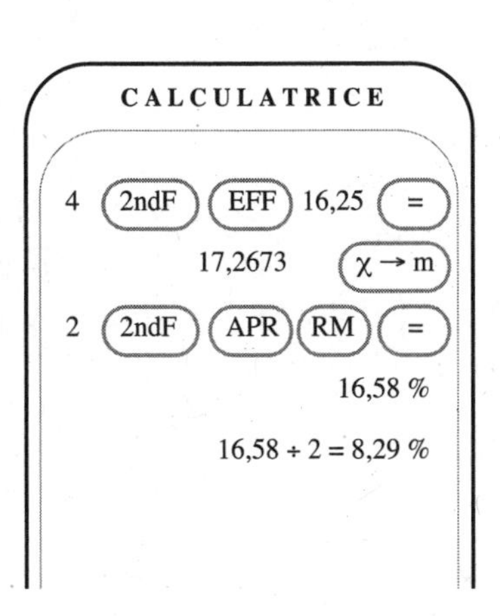

c) Convertir le taux annuel en taux semestriel équivalent :

$$(1 + I_1/m_1)^{m_1} = (1 + I_2/m_2)^{m_2}$$

$$(1 + 0{,}18333/1)^1 = (1 + I_2/2)^2$$

$$(1{,}18333)^{1/2} = (1 + I_2/2)$$

$$1{,}0878 - 1 = I_2/2$$

$$I_2/2 = i = 8{,}78\ \%\ \text{par semestre}$$

d'où :

$$PV = \frac{PMT}{i}$$

$$PV = \frac{2{,}50}{0{,}0878}$$

$$PV = \underline{\underline{28{,}47}}\ \$$$

Chapitre 7

Les critères de choix des investissements

Les questions

1. Décrivez les facteurs qui peuvent avoir un impact sur le choix des investissements.

2. Quels sont les principaux critères d'évaluation qui permettent à un investisseur de choisir un projet d'investissement?

3. Définissez chacun de ces critères.

4. Identifiez les principales limites de chacun de ces critères.

5. Quel est le meilleur critère de choix des investissements? Expliquez pourquoi.

Les problèmes

1. La compagnie Silverco inc. envisage un projet d'investissement d'une durée de trois ans. Ce projet nécessitera un investissement initial de 120 000 $ et permettra de réaliser des économies après impôts de 36 000 $ par année, en même temps qu'il générera des recettes (après impôts également) annuelles de 20 000 $. La direction financera ce projet à l'aide d'un prêt bancaire dont l'échéance est de trois ans au taux effectif de 15 %. Voici d'ailleurs la table d'amortissement du prêt :

Année	Paiement ($)	Intérêts ($)	Capital ($)	Solde ($)
0	–	–	–	120 000,00
1	52 557,24	18 000,00	34 557,24	85 442,76
2	52 557,24	12 816,41	39 740,83	45 701,93
3	52 557,24	6 855,31	45 701,93	0
		37 671,72	120 000,00	

Si la compagnie exige un taux de rendement effectif de 12 % sur ce type de projet :

a) calculez la *VAN* du projet.

b) calculez le *TRI*.

c) calculez le *DR*.

2. Estimez graphiquement le *TRI* d'un projet dont les flux monétaires nets sont :

FM_0	FM_1	FM_2	FM_3	FM_4	FM_5
- 100 000	10 000	90 000	10 000	- 10 000	- 40 000

3. La firme ABC inc., qui dispose d'un budget en capital de 10 000 $, envisage trois projets dont voici les flux monétaires anticipés :

Année	Projet XL ($)	Projet Dalo ($)	Projet BB ($)
0	–10 000	–95 000	–85 000
1	8 800	33 000	22 000
2	12 100	36 300	42 350
3		59 895	41 926,50

Les projets considérés sont indépendants.

a) Quel(s) projet(s) choisir selon la *VAN* si le taux de rendement exigé est de 10 %?

b) Calculez le *TRI* de chaque projet et faites un choix.

c) Calculez le *TRI* des projets XL et BB combinés.

d) Calculez la *VAN* des projets XL et BB combinés (taux de 10 %).

e) À la suite des résultats obtenus ci-dessus, que dire de l'addition de la *VAN* et du *TRI*?

4. Nous sommes le 1er janvier 20X8 et Alcan envisage la construction d'une nouvelle usine en Australie. Cette construction serait échelonnée sur quatre ans et débuterait le 1er janvier 20X10. Les coûts annuels de construction, dans l'ordre, sont estimés à deux milliards, un milliard, trois milliards et deux milliards et demi de dollars. L'usine serait ensuite opérationnelle, soit à partir du 1er janvier 20X14, et engendrerait des flux monétaires annuels de 750 000 000 $ pendant 50 ans. Si Alcan exige 15 % sur ces investissements, ce projet doit-il être accepté en date du 1er janvier 20X9? Utilisez le critère de la *VAN*.

5. La compagnie Johnson & Johnson envisage les trois projets mutuellement exclusifs suivants :

Année	Produit 1 ($)	Produit 2 ($)	Produit 3 ($)
0	–25 000	–25 000	–25 000
1	27 500	13 750	0
2		18 150	0
3			19 965
4			0
5			24 157,50

Cette compagnie exige 10 % sur ce type d'investissement.

a) Calculez le *DR* de chaque projet et faites un choix en fonction de ce critère.

b) Calculez le *DR* actualisé et refaites votre choix.

c) Calculez la *VAN* et choisissez en fonction de ce critère.

d) Choisissez en fonction du *TRI*.

e) Choisissez en fonction de l'*IR*.

f) Existe-t-il un autre critère de choix qui serait plus approprié ici? Pourquoi?

6. La compagnie Martel inc., qui fait affaire dans le domaine de l'imprimerie, doit envisager l'acquisition d'une nouvelle imprimante car l'actuelle imprimante est totalement désuète, inopérante et sans valeur marchande. Il n'existe que deux fabricants d'imprimantes du type que Martel inc. désire. Voici les détails pertinents concernant chaque fabricant.

	Fabricant A	Fabricant B
Coût total de l'imprimante	11 000 000 $	13 000 000 $
Durée de vie d'utilisation	10 ans	10 ans
Valeur résiduelle après la durée de vie d'utilisation	0 $	0 $
Recettes espérées par année pendant dix ans	3 500 000 $	3 600 000 $
Débours attendus par année pendant dix ans	750 000 $	100 000 $

Sachant que Martel inc. exige un rendement de 20 % sur ses investissements, évaluez la rentabilité de chaque imprimante (selon la *VAN*) et faites un choix.

7. La compagnie aérienne Airjax inc. évalue quatre projets d'investissement lors de l'élaboration de sa planification stratégique sur 15 ans. La direction a fourni aux analystes financiers de la compagnie, dont vous faites partie, les données suivantes :

Projet	Coût initial de l'investissement ($)	Vie utile (sans valeur résiduelle) (années)	Flux monétaire net annuel anticipé (après impôts) ($)
1	1 200 000	5	400 000
2	95 000	15	15 000
3	12 000	10	33 000
4	500 000	8	120 000

Le taux de rendement exigé par Airjax est de 14 % après impôts.

a) Calculez la *VAN* de chaque projet.

b) Calculez le *RAE* de chaque projet.

c) Si les projets sont indépendants et que le budget en capital est limité à 1 500 000 $, quel(s) projet(s) doit-on choisir?

Les réponses

1. Deux facteurs peuvent avoir un impact sur le choix des investissements : la nature des projets et la contrainte budgétaire.

Les projets peuvent être indépendants ou mutuellement exclusifs. Ils sont dits *indépendants* quand le choix de l'un (ou de certains) n'entraîne pas automatiquement le rejet des autres. Des projets indépendants peuvent être réalisés simultanément. Ils sont dits *mutuellement exclusifs* lorsque le choix de l'un amène nécessairement le rejet de tous les autres. On ne peut réaliser qu'un seul projet à la fois.

La *contrainte budgétaire*, ou la limite des ressources disponibles, est le deuxième facteur. Un investisseur dispose habituellement de fonds budgétaires qui ne sont pas illimités. Il doit donc rejeter un ou des projets qu'il souhaiterait réaliser s'il en avait les moyens. Si les projets sont indépendants et que le budget est limité, l'investisseur doit se doter de critères de choix qui lui permettront de hiérarchiser les projets et de choisir celui ou ceux qui contribueront à maximiser sa richesse, jusqu'à épuisement des ressources. Si les projets sont mutuellement exclusifs et que les ressources sont limitées, l'investisseur aura à choisir le projet qui contribue le plus à l'enrichir, toujours selon les critères de choix qu'il aura établis.

2. Ce sont le délai de récupération, le taux de rendement comptable, la valeur actuelle nette, l'indice de rentabilité et le taux de rendement interne.

3. Le *délai de récupération* est défini comme étant le nombre d'années nécessaire pour récupérer les capitaux investis initialement.

Le *taux de rendement comptable* représente le rapport entre le bénéfice comptable annuel moyen et le coût de l'investissement initial.

La *valeur actuelle nette* représente la différence entre la valeur actualisée des entrées de fonds et la valeur actualisée des sorties de fonds pendant la durée d'un projet.

L'*indice de rentabilité* présente, sous la forme d'indice, les résultats de la valeur actuelle nette en établissant le rapport entre la valeur actualisée des entrées de fonds et la valeur actualisée des sorties de fonds.

Le *taux de rendement interne* est le taux d'actualisation selon lequel la valeur actuelle des entrées de fonds et la valeur actuelle des sorties de fonds sont égales. C'est donc le taux auquel les coûts actualisés d'un projet sont couverts exactement par les revenus actualisés que ce projet génère.

4. Le *délai de récupération* ne tient pas compte de la valeur temps de l'argent ni des flux monétaires qui arrivent après le délai de récupération.

Le *taux de rendement comptable* ne tient pas compte de la valeur temps de l'argent et est fonction des bénéfices nets et non des flux monétaires.

La *valeur actuelle nette* conduit à effectuer un choix sur un montant absolu et non relatif et suppose un taux d'actualisation constant sur toute la durée du projet.

L'*indice de rentabilité* suppose un taux d'actualisation constant sur toute la durée d'un projet.

Le *taux de rendement interne* suppose également un taux d'actualisation constant sur toute la durée d'un projet.

5. Le meilleur critère de choix des investissements est la valeur actuelle nette (*VAN*). L'objectif premier d'un investisseur étant de maximiser l'enrichissement qu'un projet amène, la *VAN* lui permet de déterminer l'enrichissement en dollars d'aujourd'hui qu'un projet génère. Ce critère permet à un investisseur d'évaluer avec exactitude les flux monétaires attendus d'un projet puisqu'il représente la valeur actuelle des flux monétaires à recevoir, nets des flux monétaires à payer.

Les solutions

1. Toute l'information concernant le financement du projet est inutile, puisqu'un projet doit être analysé sans tenir compte de la façon dont il est financé. Les flux monétaires d'exploitation sont donc les suivants :

Recettes supplémentaires	20 000 $
Économies annuelles si le projet se réalise	36 000
Flux monétaire annuel net	56 000 $

a) $$VAN = \left[\frac{56\,000}{(1{,}12)^1} + \frac{56\,000}{(1{,}12)^2} + \frac{56\,000}{(1{,}12)^3}\right] - 120\,000$$

$$VAN = \underline{\underline{14\,502{,}55\ \$}}$$

CALCULATRICE

- 120 000 (CFi)
56 000 (CFi)
56 000 (CFi)
56 000 (CFi)
12 (i)
(NPV)
14 502,55 $

b) $$TRI = \left[\frac{56\,000}{(1+TRI)^1} + \frac{56\,000}{(1+TRI)^2} + \frac{56\,000}{(1+TRI)^3}\right] - 120\,000 = 0$$

TRI = 18,9 % environ (en utilisant l'interpolation linéaire)

CALCULATRICE

- 120 000 (CFi)
56 000 (CFi)
56 000 (CFi)
56 000 (CFi)
(IRR)
18,91 %

c) $$DR = \frac{C}{FM}$$

$$DR = \frac{120\,000}{56\,000}$$

$$DR = \underline{\underline{2{,}14}}\text{ ans}$$

Note : Sur la calculatrice, les flux monétaires (CFi) sont inscrits au moment où ils sont engagés, en débutant avec la mise de fonds initiale, au temps 0.

d)

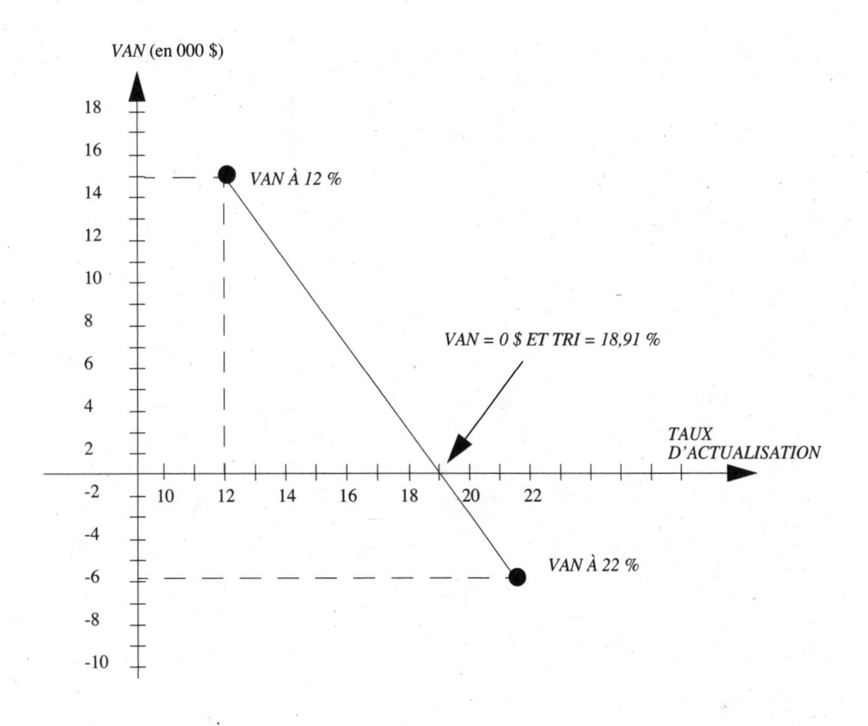
VAN (en 000 $)
18
16
14
12
10
8
6
4
2
-2
-4
-6
-8
-10
10
12
14
16
18
20
22
VAN À 12 %
VAN = 0 $ ET TRI = 18,91 %
TAUX
D'ACTUALISATION
VAN À 22 %

2.

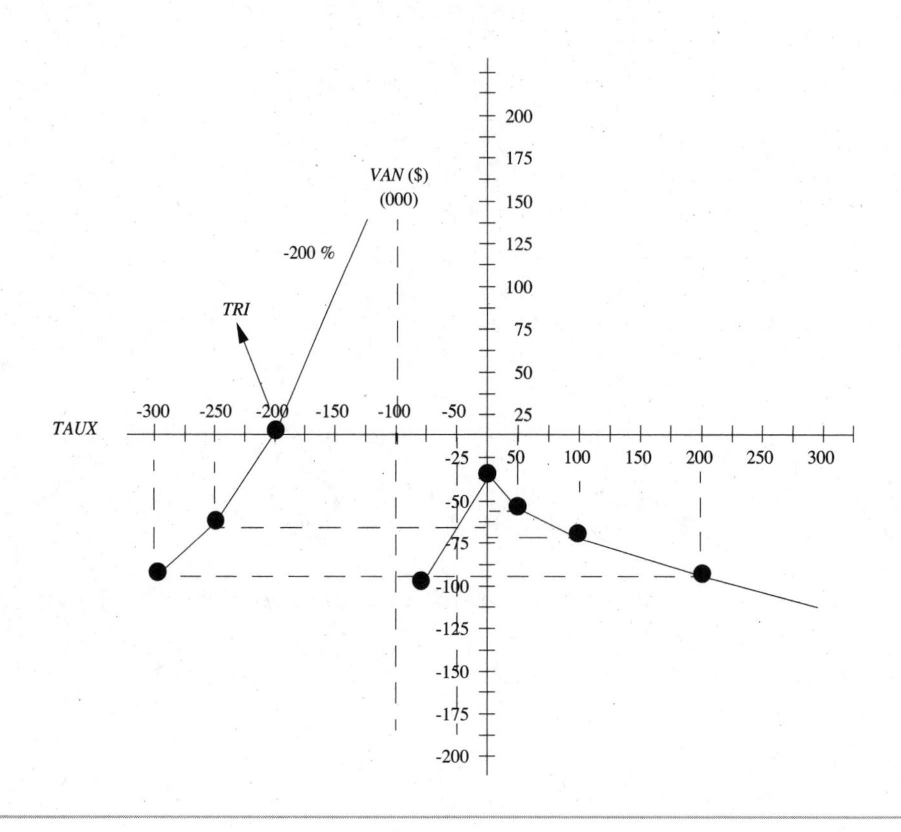
VAN ($)
(000)
-200 %
TRI
TAUX
-300
-250
-200
-150
-100
-50
50
100
150
200
250
300
200
175
150
125
100
75
50
25
-25
-50
-75
-100
-125
-150
-175
-200

3.

FORMULATION ALGÉBRIQUE

a) $VAN\ projet\ XL = \left[\frac{8\,800}{(1{,}10)^1} + \frac{12\,100}{(1{,}10)^2}\right] - 10\,000$

$= \underline{\underline{8\,000}}\ \$$

CALCULATRICE

– 10 000 *CFi*

8 800 *CFi*

12 100 *CFi*

10 *i*

NPV

8 000 $

$VAN\ projet\ Dalo = \left[\frac{33\,000}{(1{,}1)^1} + \frac{36\,300}{(1{,}1)^2} + \frac{59\,895}{(1{,}1)^3}\right] - 95\,000$

$= \underline{\underline{10\,000}}\ \$$

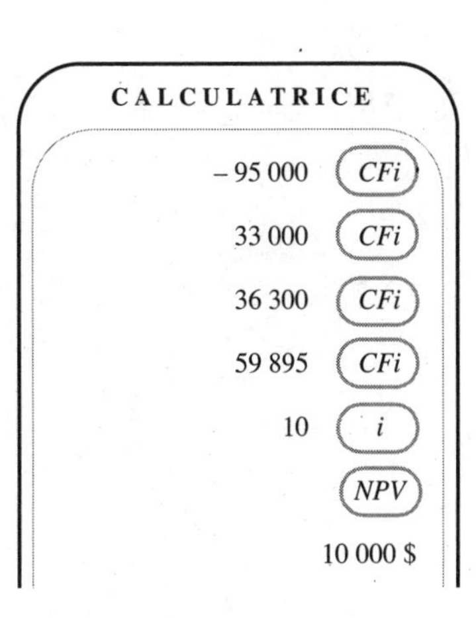

$$VAN\ projet\ BB = \left[\frac{22\ 000}{(1{,}1)^1} + \frac{42\ 350}{(1{,}1)^2} + \frac{41\ 926{,}5}{(1{,}1)^3}\right] - 85\ 000$$

$$= \underline{\underline{1\ 500}}\ \$$$

CALCULATRICE

- 85 000 CFi
22 000 CFi
42 350 CFi
41 926,50 CFi
10 i
NPV
1 500 $

Réponse : il faut donc choisir le projet *XL*, parce qu'il n'y a pas assez de budget pour réaliser le projet Dalo.

b) $$TRI\ projet\ XL = \left[\frac{8\ 800}{(1 + TRI)^1} + \frac{12\ 100}{(1 + TRI)^2}\right] - 10\ 000 = 0$$

$$= \underline{\underline{62{,}47}}\ \%$$ (en utilisant l'interpolation linéaire)

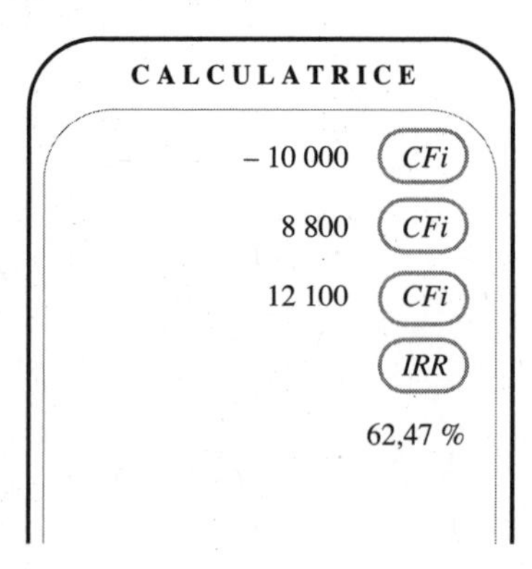

$$TRI\ projet\ Dalo = \left[\frac{33\ 000}{(1+TRI)^1} + \frac{36\ 300}{(1+TRI)^2} + \frac{59\ 895}{(1+TRI)^3}\right] - 95\ 000 = 0$$

= 15,3 % (en utilisant l'interpolation linéaire)

CALCULATRICE

- 95 000 CFi
33 000 CFi
36 350 CFi
59 895 CFi
IRR
15,3 %

$$TRI\ projet\ BB = \left[\frac{22\ 000}{(1+TRI)^1} + \frac{42\ 350}{(1+TRI)^2} + \frac{41\ 926,5}{(1+TRI)^3}\right] - 85\ 000 = 0$$

= 10,91 % (en utilisant l'interpolation linéaire)

CALCULATRICE

- 85 000 CFi
22 000 CFi
42 350 CFi
41 926,50 CFi
IRR
10,91 %

Réponse : il faut donc choisir le projet *XL*, parce que c'est celui pour lequel le *TRI* est le plus élevé, qu'il est supérieur à 10 % et que le budget est suffisant.

c) Les flux monétaires combinés du projet *XL* et du projet *BB* sont :

Projet XL ($)	+	**Projet BB** ($)	=	**Projets combinés** ($)
– 10 000		– 85 000		– 95 000
8 800		22 000		30 800
12 100		42 350		54 450
0		41 926,50		41 926,50

$$\textit{TRI projets XL et BB combinés} = \left[\frac{30\ 800}{(1+TRI)^1} + \frac{54\ 450}{(1+TRI)^2} + \frac{41\ 926,5}{(1+TRI)^3}\right] - 95\ 000 = 0$$

$= \underline{\underline{15,31}}$ % (en utilisant l'interpolation linéaire)

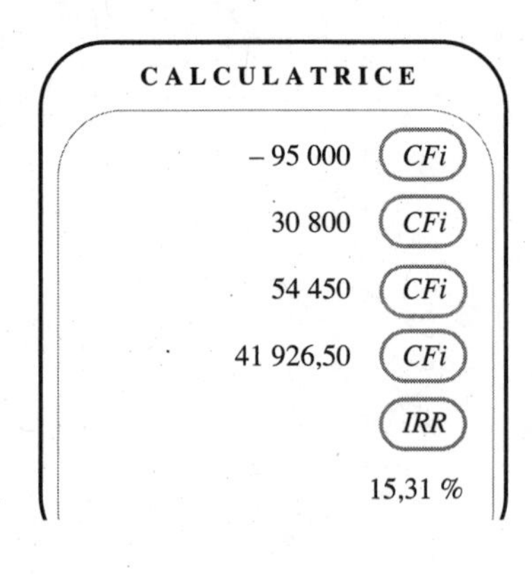

d) *VAN projets XL et BB combinés* $= \left[\frac{30\ 800}{(1,1)^1} + \frac{54\ 450}{(1,1)^2} + \frac{41\ 926,5}{(1,1)^3}\right] - 95\ 000$

$= \underline{\underline{9\ 500}}\ \$$

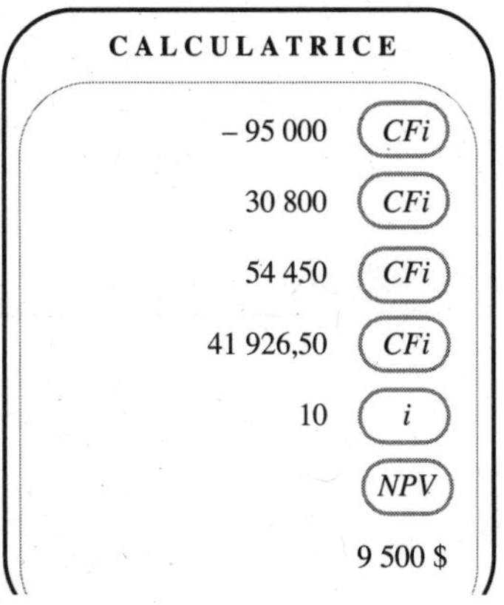

e) Le *TRI* n'est pas additif, puisque *TRI projet XL + TRI projet BB > TRI projets XL et BB combinés.*

La *VAN*, elle, est additive, puisque *VAN projet XL + VAN projet BB = VAN projets XL et BB combinés.*

4.

REPRÉSENTATION GRAPHIQUE

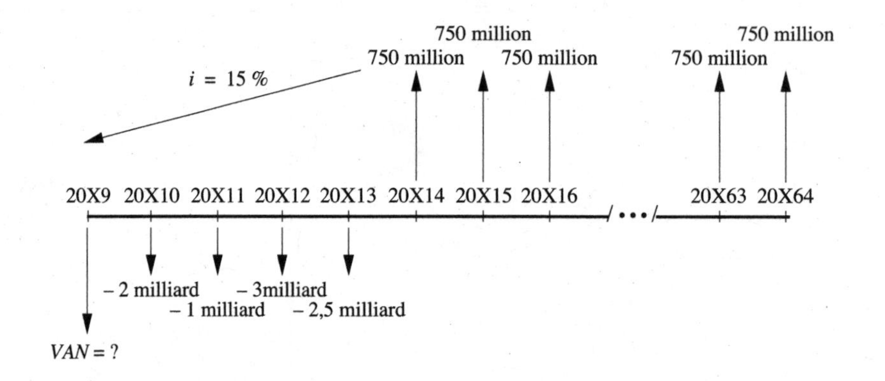

Au début de projet

La valeur des coûts du projet au 01-01-20X9 est de :

$$C = \frac{2 \text{ milliards}}{(1{,}15)^1} + \frac{1 \text{ milliard}}{(1{,}15)^2} + \frac{3 \text{ milliards}}{(1{,}15)^3} + \frac{2{,}5 \text{ milliards}}{(1{,}15)^4}$$

$$C = 5\,897\,205\,913 \text{ \$}$$

Cette première opération donne la *VA* des sorties de fonds.

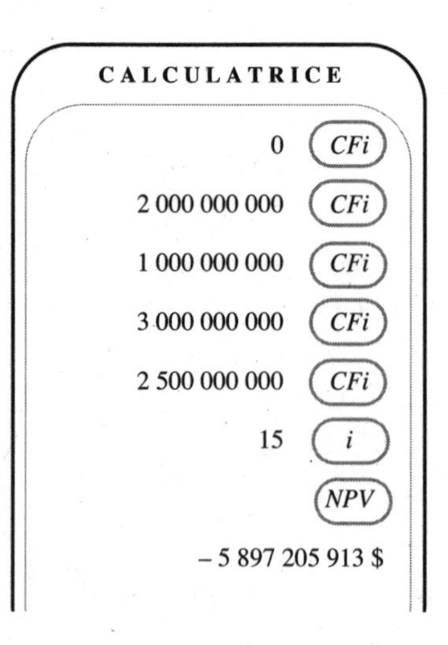

En cours de projet

La valeur des recettes sur 50 ans est de :

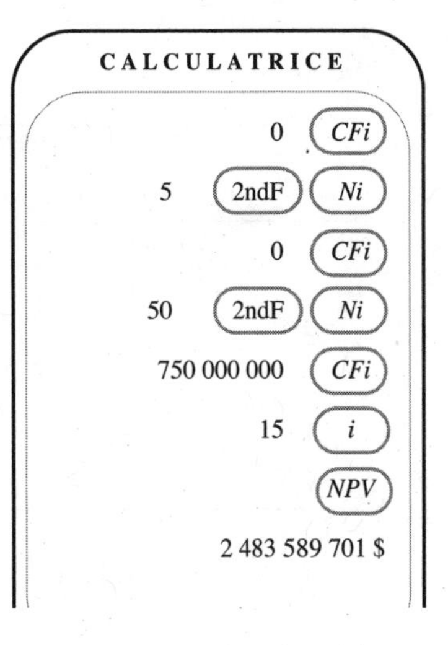

$$\text{Recettes au 01-01-20X9} = \sum_{t=6}^{55} \frac{(750\ 000\ 000)}{(1{,}15)^t}$$

recettes actualisées = 2 483 589 701 $

Cette seconde opération donne la *VA* des entrées de fonds (0 $ à la date de début du projet et pendant les cinq années suivantes, puis 750 M$ par année pendant cinquante ans).

VAN = *recettes actualisées – coûts actualisés*

VAN = 2 483 589 701 – 5 897 205 913

VAN = – 3 413 616 212 $,

Donc le projet doit être refusé.

5.

a)

	1		2		3	
	FM ($)	***CUMUL*** ($)	***FM*** ($)	***CUMUL*** ($)	***FM*** ($)	***CUMUL*** ($)
0	– 25 000	– 25 000	– 25 000	– 25 000	– 25 000	– 25 000
1	27 500	2 500	13 750	– 11 250	0	– 25 000
2			18 150	6 900	0	– 25 000
3					19 965	– 5 035
4					0	– 5 035
5					24 157,50	19 122,50

Donc :

DR produit 1 ≃ 0,9 an

DR produit 2 ≃ 1,6 an

DR produit 3 ≃ 4,2 ans

Réponse : il faudrait choisir le produit 1 selon le *DR*.

b)

	1		2		3	
	FM actualisé ($)	***CUMUL*** ($)	***FM*** actualisé ($)	***CUMUL*** ($)	***FM*** actualisé ($)	***CUMUL*** ($)
0	- 25 000	- 25 000	- 25 000	- 25 000	- 25 000	- 25 000
1	25 000	0	12 500	- 12 500	0	- 25 000
2			15 000	2 500	0	- 25 000
3					15 000	- 10 000
4					0	- 10 000
5					15 000	5 000

DR produit 1 = 1 an

DR produit 2 = 1,8 an

DR produit 3 = 4,7 ans

Réponse : il faudrait encore choisir le produit 1, en actualisant les *FM*, puisque le délai de récupération s'accroît.

c) $VAN\ produit\ 1 = \left[\frac{27\ 500}{(1{,}10)^1}\right] - 25\ 000$

$= 0\ \$$

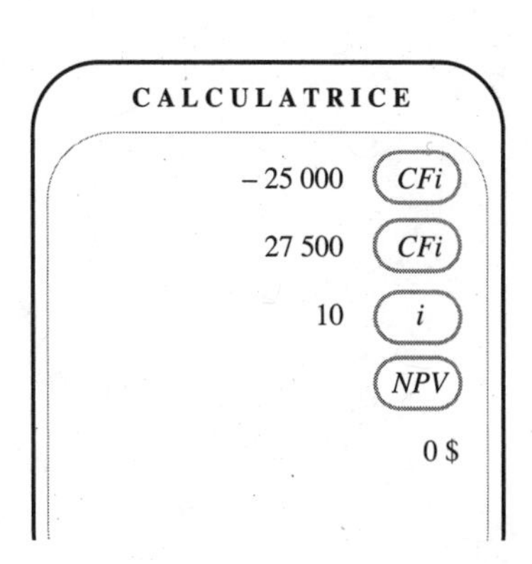

$$VAN\ produit\ 2 = \left[\frac{13\ 750}{(1{,}1)^1} + \frac{18\ 150}{(1{,}1)^2}\right] - 25\ 000$$

$$= \underline{\underline{2\ 500}}\ \$$$

CALCULATRICE

– 25 000	CFi
13 750	CFi
18 150	CFi
10	i
	NPV
	2 500 $

$$VAN\ produit\ 3 = \left[0 + 0 + \frac{19\ 965}{(1{,}1)^3} + 0 + \frac{24\ 157{,}5}{(1{,}1)^5}\right] - 25\ 000$$

$$= \underline{\underline{5\ 000}}\ \$$$

CALCULATRICE

– 25 000	CFi
0	CFi
0	CFi
19 965	CFi
0	CFi
24 157,5	CFi
10	i
	NPV
	5 000 $

Réponse : il faudrait choisir le produit 3 selon la *VAN*.

d) *TRI produit* 1 $= \left[\frac{27\,500}{(1 + TRI)^1}\right] - 25\,000 = 0$

$= \underline{\underline{10}}$ % (En utilisant l'interpolation linéaire)

CALCULATRICE

– 25 000 (CFi)
27 500 (CFi)
(IRR)
10 %

TRI produit 2 $= \left[\frac{13\,750}{(1 + TRI)^1} + \frac{18\,150}{(1 + TRI)^2}\right] - 25\,000 = 0$

$= \underline{\underline{17}}$ % (En utilisant l'interpolation linéaire)

CALCULATRICE

– 25 000 (CFi)
13 750 (CFi)
18 150 (CFi)
(IRR)
17,03 %

TRI produit 3 $= \left[0 + 0 + \frac{19\,965}{(1 + TRI)^3} + 0 + \frac{24\,157{,}5}{(1 + TRI)^5}\right] - 25\,000 = 0$

$= \underline{\underline{15{,}2}}$ % (En utilisant l'interpolation linéaire)

CALCULATRICE

– 25 000 (CFi)
0 (CFi)
0 (CFi)
19 965 (CFi)
0 (CFi)
24 157,5 (CFi)
(IRR)
15,16 %

Réponse : il faudrait donc choisir le produit 2 selon le *TRI*.

e) *IR produit* 1 $= \frac{VAN(1)}{c} + 1$

$= \frac{0}{25\,000} + 1$

$= \underline{\underline{1,00}}$

IR produit 2 $= \frac{2\,500}{25\,000} + 1$

$= 1,10$

IR produit 3 $= \frac{5\,000}{25\,000} + 1$

$= \underline{\underline{1,20}}$

Réponse : il faudrait choisir le produit 3 selon l'*IR*.

f) Oui, le revenu annuel équivalent (*RAE*), puisque les trois projets sont de durée inégale.

6. Le flux monétaire annuel net sera de :

	A	B
Recettes	3 500 000 $	3 600 000 $
Déboursés	(750 000)	(100 000)
	2 750 000 $	3 500 000 $

et la *VAN* à 20 % sera de :

$$VAN\ imprimante\ A = \sum_{t=1}^{10} \frac{2\,750\,000}{(1{,}20)^t} - 11\,000\,000$$

$$= 529\,298\ \$$$

CALCULATRICE

– 11 000 000 (CFi)
10 (2ndF) (Ni)
2 750 000 (CFi)
20 (i)
(NPV)
529 298 $

Remarque : Le fait que les flux monétaires soient identiques nous permet de profiter de la touche (Ni), prévue pour de telles situations.

$$VAN\ imprimante\ B = \sum_{t=1}^{10} \frac{3\,500\,000}{(1{,}20)^t} - 13\,000\,000$$

$$= 1\,673\,652\ \$$$

CALCULATRICE

– 13 000 000 (CFi)
10 (2ndF) (Ni)
3 500 000 (CFi)
20 (i)
(NPV)
– 2 867 $

Réponse : il faudrait donc choisir l'imprimante du fabricant B.

7.

a) $$VAN\ projet\ 1 = \left[\frac{400\ 000}{(1{,}14)^1} + \ldots + \frac{400\ 000}{(1{,}14)^5}\right] - 1\ 200\ 000$$

$$= \underline{\underline{173\ 232}}\ \$$$

CALCULATRICE

– 1 200 000 (CFi)

5 (2ndF) (Ni)

400 000 (CFi)

14 (i)

(NPV)

173 232 $

Remarque : Le fait que les flux monétaires soient identiques nous permet de profiter de la touche (Ni), prévue pour de telles situations.

$$VAN\ projet\ 2 = \left[\frac{15\ 000}{(1{,}14)^1} + \ldots + \frac{15\ 000}{(1{,}14)^{15}}\right] - 95\ 000$$

$$= \underline{\underline{(2\ 867)}}\ \$$$

CALCULATRICE

– 95 000 (CFi)

15 (2ndF) (Ni)

15 000 (CFi)

14 (i)

(NPV)

– 2 867 $

$$VAN\ projet\ 3 = \left[\frac{33\ 000}{(1{,}14)^1} + \dots + \frac{33\ 000}{(1{,}14)^{10}}\right] - 12\ 000$$

$$= \underline{\underline{160\ 132}}\ \$$$

CALCULATRICE

– 12 000 (CFi)
10 (2ndF) (Ni)
33 000 (CFi)
14 (i)
(NPV)
160 132 $

$$VAN\ projet\ 4 = \left[\frac{120\ 000}{(1{,}14)^1} + \dots + \frac{120\ 000}{(1{,}14)^{8}}\right] - 50$$

$$= \underline{\underline{56\ 664}}\ \$$$

CALCULATRICE

– 500 000 (CFi)
8 (2ndF) (Ni)
120 000 (CFi)
14 (i)
(NPV)
56 664 $

b) $RAE = VAN\left[\frac{i}{1-(1+i)^{-n}}\right]$

$RAE\ projet\ 1 = 173\,232\left[\frac{0{,}14}{1-(1{,}14)^{-5}}\right]$

$= \underline{\underline{50\,460}}\ \$$

$RAE\ projet\ 2 = (2867)\left[\frac{0{,}14}{1-(1{,}14)^{-15}}\right]$

$= \underline{\underline{(467)}}\ \$$

$RAE\ projet\ 3 = 160\,132\left[\frac{0{,}14}{1-(1{,}14)^{-10}}\right]$

$= \underline{\underline{30\,700}}\ \$$

$RAE\ projet\ 4 = 56\,664\left[\frac{0{,}14}{1-(1{,}14)^{-8}}\right]$

$= \underline{\underline{12\,215}}\ \$$

c) On doit choisir les projets 1 et 3 seulement.

Coût total :

1 200 000	$
12 000	
1 212 000	$

Chapitre 8

La détermination des flux monétaires d'un projet d'investissement

Les questions

1. Pourquoi parle-t-on de marginalité des flux monétaires?

2. Déterminer le coût d'un projet d'investissement est une étape essentielle dans l'analyse d'un projet d'investissement. À quelle étape du processus d'investissement se situe cette analyse et en quoi consiste-t-elle?

3. Quelle est la différence entre un flux monétaire *capitalisable* et un flux monétaire *non capitalisable*?

4. Précisez la différence entre un *bénéfice comptable* et un *flux monétaire*.

5. Indiquez les principales différences entre la détermination du *bénéfice comptable* et celle du *flux monétaire*.

6. Pour quelles raisons doit-on considérer les flux monétaires plutôt que les bénéfices comptables lors de l'évaluation d'un investissement?

7. Expliquez ce qu'est l'*allocation du coût en capital* (l'*ACC*).

8. Le gouvernement a établi certaines règles pour l'application des particularités fiscales liées à l'ACC. Une de ces règles est appelée la règle de la demi-année ou la règle du 50 %. Expliquez cette règle.

9. En général, à la fin d'un projet d'investissement, on dispose des actifs utilisés. Quels sont les deux types de flux monétaires qu'entraîne la revente des actifs?

Les problèmes

1. La firme Axta inc. envisage un projet d'investissement bien spécifique qui devrait lui permettre d'accroître ses revenus pour une période de trois ans. Le département de comptabilité vous soumet les états financiers prévisionnels pour ce projet :

Prévisions si le projet n'est pas réalisé

	Année 1	Année 2	Année 3
Ventes	100 000 $	110 000 $	121 000 $
Coût de ventes	80 000	88 000	96 800
Dépenses diverses avant	5 000	5 500	6050
Amortissement	5 000	5 000	5 000
Frais financiers	2 000	2 000	2 000
Bénéfice avant impôts	8 000 $	9 500 $	11 150 $
Impôts	3 200	3 800	4 460
Bénéfice après impôts	4 800 $	5 700 $	6 690 $

Prévisions si le projet est réalisé

	Année 1	Année 2	Année 3
Ventes	120 000 $	132 000 $	145 000 $
Coût des ventes	96 000	105 600	116 160
Dépenses diverses après	6 000	6 600	7 260
Amortissement	7 000	7 000	7 000
Frais financiers	3 000	3 000	3 000
Bénéfice avant impôts	8 000 $	9 800 $	11 580 $
Impôts	3 200	3 920	4 632
Bénéfice après impôts	4 800 $	5 880 $	6 948 $

Sachant que les revenus et les dépenses seront effectués au comptant et que le taux d'imposition de l'entreprise est de 40 %, calculez les flux monétaires qu'on devra considérer dans l'analyse de la rentabilité de ce projet.

2. Une entreprise de transport en pleine expansion procède en 20X1 à l'acquisition de six véhicules au coût total de 45 000 $. L'ensemble de ces véhicules se situe dans une catégorie de 30 % sur le solde dégressif. Au début de 20X5, l'entreprise vend trois de ses véhicules au prix total de 17 500 $. Au cours de la même année, elle achète deux nouveaux véhicules au prix total de 65 000 $. Déterminez l'amortissement pour les années 20X1 à 20X5 et le solde de la catégorie au début de l'année 20X6 :

a) si le solde non amorti de la catégorie au début de 20X1 est de 0;

b) si le solde non amorti de la catégorie au début de 20X1 est de 127 500 $.

3. En tant que directeur général d'un salon funéraire, vous procédez à l'acquisition d'un four crématoire afin d'effectuer des incinérations. Le coût de ce dernier est de 50 000 $ et sa catégorie est de 20 % sur le solde dégressif. Il s'agit du seul actif de sa catégorie. Le taux d'imposition de la compagnie est de 45 % et le taux d'actualisation, de 12 %.

Après quatre bonnes années d'utilisation, vous décidez de vous en départir au début de la cinquième année.

a) Déterminez l'impôt à payer sur la récupération d'amortissement (*IRA*) ou les économies d'impôts liées à la perte terminale (*EIPT*) si le prix de vente du four est de :
   i) 25 000 $;
   ii) 18 000 $;
   iii) 32 000 $;
   iv) 75 000 $.

b) Déterminez la valeur actualisée des économies d'impôts liées à l'*ACC* si le four est revendu pour la somme de 25 000 $ et que :
   i) la vente de l'actif a lieu au début de l'année 5 et n'entraîne pas la fermeture de la classe d'amortissement;
   ii) la vente de l'actif a lieu au début de l'année 5 et entraîne la fermeture de la classe d'amortissement.

4. Un agent de voyages désire élargir ses activités et offrir à sa clientèle la possibilité d'effectuer des croisières sur les différentes voies navigables de la région. À cette fin, l'agent doit acquérir une embarcation d'une valeur de 125 000 $ qui sera amortie sur le plan fiscal à un taux de 25 % sur le solde dégressif. L'entreprise est imposée à un taux de 40 %. L'embarcation acquise en 20X1 est la seule de sa catégorie.

Déterminez les économies d'impôts liées à la perte terminale si l'embarcation est vendue pour une somme de 15 500 $ au début de 20X7.

5. Une nouvelle entreprise manufacturière spécialisée dans la fabrication de chandails décide de s'implanter, au début 20X0, à Rimouski. Afin de démarrer ses activités, elle procède à l'acquisition de huit machines à tisser d'une valeur unitaire de 28 500 $. Ces machines se situent dans une catégorie de 30 % sur le solde dégressif. Au début de 20X2, l'entreprise se départit de trois de ses machines à tisser pour un montant global de 21 750 $ et les remplace par une machine nettement plus efficace au coût de 47 500 $. Compte tenu des résultats obtenus par cette nouvelle machine, l'entreprise décide de vendre les cinq vieilles machines en 20X5 pour un montant de 25 000 $ et procède à l'acquisition de deux machines plus productives au coût de 75 000 $.

Déterminez le solde non amorti de la catégorie au début de 20X8.

6. À la suite d'une réunion du conseil d'administration de l'entreprise qui vous emploie à titre d'analyste financier, on vous confie la tâche d'établir les flux monétaires des cinq premières années du présent projet.

Le projet consiste à accroître le personnel du département de marketing de cinq personnes. Chacune des personnes engagées aura un salaire moyen d'environ 35 000 $ qui augmentera de 5 % par année. Cette addition de personnel devrait accroître les ventes de 500 000 $ par année durant les cinq prochaines années. La marge bénéficiaire brute (MBB) (après le coût des marchandises vendues) de l'entreprise est de 25 %. L'entreprise est imposée à un taux de 50 %.

Chacune des personnes engagées aura à sa disposition un véhicule coûtant 20 000 $, catégorie de 30 % sur solde dégressif. Les frais d'entretien et de réparation de chaque véhicule seront assumés par l'entreprise. Ces derniers devraient être de 1 500 $ par an par véhicule pour les cinq prochaines années.

Déterminez les flux monétaires générés par les opérations du projet (*FMGOP*) de l'entreprise pour les cinq premières années du projet.

7. À la suite d'une demande croissante de ses produits, la compagnie Excel inc. projette d'agrandir son usine d'une superficie additionnelle de 35 000 pieds carrés. Les coûts de construction de l'agrandissement sont de 7,50 $ le pi^2. Afin d'accroître sa capacité de production et de moderniser ses équipements, Excel inc. devra acquérir pour 155 000 $ de nouveaux équipements.

Si l'entreprise ne réalise pas le projet, ses flux monétaires au cours des cinq prochaines années connaîtront une augmentation beaucoup moins marquée, ce qui entraînera des coûts d'opportunité significatifs. Marginalement, les prévisions pour les cinq prochaines années, avec et sans agrandissement, ont été établies comme suit :

Année	Sans agrandissement ($)	Avec agrandissement ($)
1	490 000	475 000
2	545 000	630 000
3	560 000	755 000
4	695 000	870 000
5	750 000	1 060 000

On ne prévoit aucune valeur de revente pour la bâtisse et l'équipement à la fin du projet.

Compte tenu des informations qui vous sont fournies et en faisant abstraction des *EIACC*, déterminez la valeur actuelle nette de cet agrandissement si le taux d'actualisation est de 13,5 % et que l'entreprise est imposée à un taux marginal de 35 %. Calculez également le *TRI* du projet.

8. Le chef mécanicien d'une entreprise manufacturière a, de sa propre initiative, mis au point un procédé révolutionnaire de fabrication. Ce procédé permettrait à la compagnie, sans accroître la production, de diminuer les frais variables de fabrication. Les frais fixes seraient toutefois légèrement supérieurs.

Les frais variables passeraient de 5,00 $ la douzaine à 3,75 $ la douzaine. Les frais fixes, qui sont actuellement de 400 000 $ par année, augmenteraient pour leur part à 525 000 $. Le chef de production a estimé de la façon suivante la production pour les cinq prochaines années :

Année	**Production** (en milliers de douzaines)
1	83
2	121
3	182
4	214
5	275
6	50

L'analyste financier de la compagnie étudie la rentabilité du projet soumis par le chef mécanicien en utilisant un taux d'actualisation de 12,5 %. Il est à noter que, si l'entreprise réalise le projet, une prime de 35 000 $ sera versée au chef mécanicien afin de souligner et de récompenser les efforts fournis par ce dernier. Le taux d'imposition de la compagnie est de 30 %.

a) En utilisant la valeur actuelle nette comme critère de décision et en faisant abstraction des *EIACC*, dites si l'entreprise devrait réaliser le projet en sachant que sa mise en application nécessitera un investissement en équipement de 125 000 $.

b) Toujours en utilisant la *VAN* et en supposant maintenant que le coût d'acquisition du nouvel équipement augmentera de 7 % par année, dites quand il serait le plus rentable de procéder à la réalisation du projet. Notez que vous n'avez pas à tenir compte des *EIACC*.

Les réponses

1. On parle de *marginalité* parce qu'on doit estimer la différence entre les flux monétaires qui seront engendrés si un projet est accepté et les flux monétaires futurs qui seront obtenus si ce projet est rejeté. Cette approche est basée sur les changements, la variation et la différence dans les flux monétaires d'une entreprise, *avec* ou *sans* la réalisation d'un projet.

2. Afin d'identifier l'apport réel d'un projet pour l'entreprise, les flux monétaires doivent tenir compte des effets directs et indirects que pourrait engendrer la réalisation de ce projet. Le coût d'un projet d'investissement est déterminé au début du projet. Il représente la somme des flux monétaires que l'entreprise doit consacrer à la réalisation du projet. En faisant cette somme, il faut exclure les coûts irrécupérables, c'est-à-dire les coûts qui devront être assumés, que le projet se réalise ou non, inclure les frais directement reliés au projet ainsi que les coûts de renonciation ou d'opportunité.

3. Un flux monétaire *capitalisable* apparaît au bilan de l'entreprise. L'impact fiscal de ce flux monétaire est réparti sur de nombreuses années et les retombées fiscales positives qu'il amène se matérialisent en cours de projet. Un flux monétaire *non capitalisable* se retrouve dans l'état des résultats de l'entreprise. L'impact fiscal de ce flux monétaire est immédiat et les retombées fiscales positives auxquelles il donne lieu se matérialisent en début de projet.

4. Le *bénéfice comptable* est obtenu par la différence entre les revenus et les dépenses alors que le *flux monétaire* est constitué par la différence entre les entrées et les sorties de fonds.

5. Les principales différences sont les suivantes :

- le moment où l'on enregistre un revenu (ou une dépense) et celui où l'on enregistre un flux monétaire (ou un mouvement de fonds) sont différents;
- certaines dépenses sont déduites des revenus sans qu'elles n'engendrent de sorties de fonds;
- les impôts utilisés dans le calcul du bénéfice comptable ne sont pas nécessairement les mêmes que ceux qui sont versés à l'État;

- les conventions comptables permettent de déterminer les bénéfices de différentes manières; les bénéfices dépendent donc des conventions comptables retenues.

6. D'une part, parce que l'estimation des bénéfices est tributaire des choix comptables et peut donc varier, par opposition aux flux monétaires qui, eux, ne dépendent que des mouvements réels de fonds. D'autre part, comme les bénéfices d'une entreprise ne correspondent pas nécessairement à l'argent que possède vraiment un investisseur, ce dernier a avantage à baser ses décisions d'investissement sur les flux monétaires, puisque ce qui est important pour lui est ce qu'il va décaisser et encaisser lors de la réalisation de son projet.

7. L'*allocation du coût en capital* (ACC) est une notion fiscale qui correspond à l'amortissement comptable. Il s'agit d'une dépense autorisée par l'État pour compenser le vieillissement des actifs amortissables et qui n'entraîne ni décaissement ni sortie de fonds, diminuant ainsi le bénéfice imposable et, par conséquent, le montant des impôts à payer. Cette mesure a été introduite par le gouvernement pour encourager les entreprises à investir dans l'économie puisqu'elle leur permet de déduire de leur revenu un certain montant sur tous les nouveaux projets qu'elles entreprennent.

8. La règle de la demi-année a été introduite par le gouvernement pour éviter que les actifs acquis en fin d'exercice par les entreprises ne leur permettent de bénéficier de plus d'économies d'impôts qu'il n'en faut. En effet, cette règle établit que le montant d'allocation du coût en capital déductible durant l'année d'acquisition d'un bien amortissable est réduit de moitié. Les entreprises ne peuvent donc réclamer que la moitié de l'ACC de ce bien pour la première année d'acquisition.

9. Ces deux types de flux monétaires sont les suivants :

- la valeur de revente de l'actif (*VR*), qui constitue une entrée de fonds pour l'investisseur et qui équivaut à la valeur marchande du bien ou à ce que l'investisseur reçoit pour ce bien;
- les flux monétaires fiscaux touchant la disposition d'actifs amortissables, c'est-à-dire les pertes d'économies d'impôts liées à l'ACC (*PEIACC*), l'impôt sur le gain en capital (*IGC*), l'impôt à payer sur la récupération d'amortissement (*IRA*) et les économies d'impôts liées à une perte terminale (*EIPT*).

Les solutions

1.

Si le projet n'est pas réalisé

	Année 1	**Année 2**	**Année 3**
Bénéfice avant impôts	8 000 $	9 500 $	11 150 $
(+) frais financiers*	2 000	2 000	2 000
Nouveau bénéfice avant impôts	10 000 $	11 500 $	13 150 $
(–) impôts (40 %)	4 000	4 600	5 260
Nouveau bénéfice après impôts	6 000 $	6 900 $	7 890 $
(+) amortissement**	5 000	5 000	5 000
Flux monétaires	11 000 $	11 900 $	12 890 $

Si le projet est réalisé

	Année 1	**Année 2**	**Année 3**
Bénéfice avant impôts	8 000 $	9 800 $	11 580 $
(+) frais financiers*	3 000	3 000	3 000
Nouveau bénéfice avant impôts	11 000 $	12 800 $	14 580 $
(–) impôts (40 %)	4 400	5 120	5 832
Nouveau bénéfice après impôts	6 600 $	7 680 $	8 748 $
(+) amortissement**	7 000	7 000	7 000
Flux monétaires	13 600 $	14 680 $	15 748 $
D'où un *FM* marginal :	2 600 $	2 780 $	2 858 $

* Les frais financiers ne doivent pas être considérés dans la détermination des flux monétaires du projet puisque ceux-ci sont fonction de la décision de financement.

** L'amortissement n'entraîne pas de sortie de fonds, mais procure à l'entreprise un avantage fiscal. C'est pourquoi on en tient compte dans le calcul de l'impôt (puisqu'il est inclus dans le bénéfice avant impôts), et qu'on le rajoute au bénéfice après impôts par la suite.

2.

a)

Catégorie de 30 %

	Débit		*Crédit*	
Solde de 20X1	0 $			
	45 000	(1)	6 750	(2)
Solde de 20X2	38 250		11 475	(3)
Solde de 20X3	26 775		8 033	(4)
Solde de 20X4	18 742		5 623	(5)
Solde de 20X5	13 119			
	47 500	(6)	11 061	(7)
Solde de 20X6	49 558 $			

(1) Prix d'achat des six véhicules.

(2) Amortissement de 20X1 :
45 000 × 30 % × 0,5 = 6 750 $ (règle de la demi-année)

(3) Amortissement de 20X2 :
38 250 × 30 % = 11 475 $

(4) Amortissement de 20X3 :
26 775 × 30 % = 8 033 $

(5) Amortissement de 20X4 :
18 472 × 30 % = 5 623 $

(6) Variation nette de la catégorie de 30 % :

Vente de trois véhicules	(17 500) $
Achat de deux véhicules	65 000
	47 500 $

(7) Amortissement de 20X5 :

13 119 × 30 % =	3 936 $	
47 500 × 30 % × 0,5 =	7 125	(règle de la demi-année, appliquée à la variation nette de l'année)
	11 061 $	

b)

Catégorie de 30 %

	Débit		*Crédit*	
Solde de 20X1	127 500 $			
	45 000	(1)	45 000	(2)
Solde de 20X2	127 500		38 250	(3)
Solde de 20X3	89 250		26 775	(4)
Solde de 20X4	62 475		18 743	(5)
Solde de 20X5	43 732			
	47 500	(6)	20 245	(7)
Solde de 20X6	70 987 $			

(1) Prix d'achat des six véhicules.

(2) Amortissement de 20X1 :

127 500 × 30 % =	38 250 $	
45 000 × 30 % × 0,5 =	6 750	(règle de la demi-année, appliquée à la variation nette de l'année)
	45 000 $	

(3) Amortissement de 20X2 :
127 500 × 30 % = 38 250 $

(4) Amortissement de 20X3 :
89 250 × 30 % = 26 775 $

(5) Amortissement de 20X4 :
62 475 × 30 % = 18 743 $

(6) Variation nette de la catégorie de 30 % :

Vente	(17 500) $
Achat	65 000
	47 500 $

(7) Amortissement de 20X5 :

43 732 × 30 % =	13 120 $	
47 500 × 30 % × 0,5 =	7 125	(règle de la demi-année, appliquée à la variation nette de l'année)
	20 245 $	

3.

a) **Étape 1 :** déterminer la *FNACC*.

Catégorie de 20 %

	Débit		*Crédit*	
Solde du début	0 $			
	50 000	(1)	5 000	(2)
	45 000			
	$(0,8)^3$			
Solde au début de l'an 5	23 040 $	(3)		

(1) Prix d'achat du four crématoire.

(2) Amortissement de l'an 1 :
50 000 × 0,20 = 10 000, × 0,5 = 5 000 $ (règle de la demi-année, appliquée à la variation nette de l'année)

(3) $S_n = FNACC_1 \times (1 - d)^{n-1}$
$S_n = 45\ 000 \times (0,8)^3$
$S_n = 23\ 040$ $

Étape 2 : déterminer l'*IRA* ou les *EIPT*.

i) Valeur de revente de 25 000 $

Débit		*Crédit*	
FNACC	23 040 $	25 000	*VR*
		1 960 $	*RA*

$RA = 1\ 960 \times 0,45$

$IRA = 882$ $

ii) Valeur de revente de 18 000 $

Débit		Crédit	
FNACC	23 040 $	18 000	*VR*
PT	5 040 $		

EIPT = 5 040 × 0,45

EIPT = 2 268 $

iii) Valeur de revente de 32 000 $

Débit		Crédit	
FNACC	23 040 $	32 000	*VR*
		8 960 $	*RA*

IRA = 8 960 × 0,45

IRA = 4 032 $

iv) Valeur de revente de 75 000 $

Débit		Crédit	
FNACC	23 040 $	50 000	*C**
		26 960 $	*RA*

IRA = 26 960 × 0,45

IRA = 12 132 $

---

* Rappelons que, lors de la revente d'un actif, l'on ne peut soustraire d'une catégorie un montant supérieur à son coût d'acquisition. Dans ce cas précis, nous devrions également considérer un impôt sur le gain en capital de 25 000 $ (= 75 000 $ – 50 000 $) réalisé.

b) $VAEIACC = \left[\frac{C \times d \times T}{k+d}\right]\left[\frac{1+0{,}5k}{1+k}\right]$

C = le coût d'acquisition

d = le taux d'amortissement dégressif

T = le taux d'imposition

k = le taux d'actualisation

VR = la valeur résiduelle

$$VAPEIACC = \frac{min(C,VR) \times d \times T}{k+d} \times (1+k)^{-n}$$

i) $VAEIACC = \left[\frac{50\,000 \times 0{,}2 \times 0{,}45}{0{,}12+0{,}2}\right] \times \left[\frac{1+(0{,}5 \times 0{,}12)}{(1+0{,}12)}\right]$

$VAEIACC = 14\,062{,}50 \times 0{,}946 = 13\,309$

$VAPEIACC = \frac{min(50\,000,\ 25\,000) \times 0{,}2 \times 0{,}45}{0{,}12+0{,}2} \times (1{,}12)^{-4}$ = (4 468)

8 841 $

Note : *min(C,VR)* = la valeur minimale entre la valeur de revente et le coût d'acquisition de l'actif dont on a disposé.

ii) $VAEIACC$ = 13 309 $

$VR > FNACC$ donc,

$$VAPEIACC = \frac{FNACC \times d \times T}{k+d} \times (1+k)^{-n}$$

$VAPEIACC = \frac{23\,040 \times 0{,}2 \times 0{,}45}{0{,}12+0{,}2} \times (1{,}12)^{-4}$ = (4 118)

$IRA = (25\,000 - 23\,040) \times 0{,}45$

$VAIRA = 882(1{,}12)^{-4}$ = (561)

8 630 $

4. Étape 1 : déterminer la *FNACC*.

Catégorie de 25 %

	Débit		*Crédit*	
Solde de 20X1	0 $			
	125 000	(1)	15 625	(2)
Solde de 20X2	109 375			
	$\times (0{,}75)^5$			
FNACC	25 955	(3)	15 500	*VR*
PT	10 455 $			

(1) Prix d'achat de l'embarcation.

(2) Amortissement de 20X1 :
125 000 × 0,25 × 0,5 = 15 625 $ (règle de la demi-année, appliquée à la variation nette de l'année)

(3) $S_n = FNACC_1 \times (1 - d)^{n-1}$
$S_n = 109\,375 \times (0{,}75)^5$
$S_n = 25\,955$ $

Étape 2 : déterminer les *EIPT*.

$EIPT = PT \times T$

$EIPT = 10\,455 \times 0{,}40$

$EIPT = 4\,182$ $

5.

Catégorie de 30 %

	Débit		*Crédit*	
Solde de 20X0	0 $			
	228 000	(1)	34 200	(2)
Solde de 20X1	193 800		58 140	(3)
Solde de 20X2	135 660			
	25 750	(4)	44 561	(5)
Solde de 20X3	116 849			
	$(0,7)^2$			
Solde de 20X5	57 256	(6)		
	50 000	(7)	24 677	(8)
Solde de 20X6	82 579			
	$(0,7)^2$			
FNACC 20X8	40 464 $	(9)		

(1) Prix d'achat de huit machines d'une valeur unitaire de 28 500 $:
8 × 28 500 = 228 000 $

(2) Amortissement de 20X0 :
228 000 × 0,3 = 68 400 × 0,5 = 34 200 $ (règle de la demi-année)

(3) Amortissement de 20X1 :
193 800 × 0,3 = 58 140 $

(4) Variation nette de la catégorie :

Vente de trois machines	(21 750)	$
Achat d'une machine	47 500	
	25 750	$

(5) Amortissement de 20X2 :

135 660 × 0,3 =	40 698	$
25 750 × 0,3 × 0,5 =	3 863	(règle de la demi-année, appliquée à la variation nette de l'année)
	44 561	$

(6)
$$FNACC_n = FNACC_j(1-d)^{n-j}$$
$$FNACC_5 = FNACC_3(0,7)^{5-3}$$
$$FNACC_5 = 116\,849(0,7)^2$$
$$FNACC_5 = 57\,256\ \$$$

(7) Variation nette de la catégorie :

Vente de cinq machines	(25 000)	$
Achat de deux machines	75 000	
	50 000	$

(8) Amortissement de 20X5

57 256 × 0,3 =	17 177	$
50 000 × 0,3 × 0,5 =	7 500	(règle de la demi-année, appliquée à la variation nette de l'année)
	24 677	$

(9) $FNACC_8 = FNACC_6(0,7)^{8-6}$

$FNACC_8 = 82\ 579(0,7)^2$

$FNACC_8 = 40\ 464$ $

6.

	Année 1	**Année 2**	**Année 3**	**Année 4**	**Année 5**
Vente	500 000 $	500 000 $	500 000 $	500 000 $	500 000 $
CMV (75 %)	375 000	375 000	375 000	375 000	375 000
MBB	125 000 $	125 000 $	125 000 $	125 000 $	125 000 $
Salaires[1]	175 000 $	183 750 $	192 938 $	202 584 $	212 714 $
Entretien des véhicules[2]	7 500	7 500	7 500	7 500	7 500
Amortissement[3]	15 000	25 500	17 850	12 495	8 747
Bénéfice avant impôts	(72 500 $)	(91 750 $)	(93 288 $)	(97 579 $)	(103 961 $)
Impôts (50 %)	36 250	45 875	46 664	48 789, 50	51 980, 50
Bénéfice après impôts	(36 250 $)	(45 875 $)	(46 644 $)	(48 789, 50 $)	51 980, 50 $)
Amortissement	15 000	25 500	17 850	12 495	8 747
FM	(21 250 $)	(20 375 $)	(28 794 $)	(36 294, 50 $)	(43 233, 50 $)

(1) Cinq salaires de 35 000 $ = 175 000 $ (augmentation de 5 % par an)

(2) Cinq véhicules à 1 500 $ par an = 7 500 $

(3) Amortissement

Catégorie de 30 %

	Débit	*Crédit*
Année 1	100 000 $	15 000
Année 2	85 000	25 500
Année 3	59 500	17 850
Année 4	41 650	12 495
Année 5	29 155	8 747 $

(4) Un chiffre positif indique un remboursement d'impôt.

7. Étape 1 : déterminer le coût du projet.

Bâtisse		
	35 000 pi^2 × 7,50 $ =	262 500 $
Équipement		155 000
		417 500 $

Étape 2 : déterminer les *FMGOP* sur une base marginale.

Année	Sans agrandissement ($)	Avec agrandissement ($)	*FM* marginaux ($)
1	490 000	475 000	(15 000)
2	545 000	630 000	85 000
3	560 000	755 000	195 000
4	695 000	870 000	175 000
5	750 000	1 060 000	310 000

Année	*FM* marginal ($)	Impôts à payer (1 – T)	Après impôts ($)	Actualisation	*FM* actualisés après impôts ($)
1	(15 000)	0,65	(9 750)	$(1{,}135)^{-1}$	(8 590)
2	85 000	0,65	55 250	$(1{,}135)^{-2}$	42 888
3	195 000	0,65	126 750	$(1{,}135)^{-3}$	86 688
4	175 000	0,65	113 750	$(1{,}135)^{-4}$	68 544
5	310 000	0,65	201 500	$(1{,}135)^{-5}$	106 978
					296 508

Étape 3 : calculer la *VAN*.

FM – coût	=	*VAN*
296 508 – 417 500	=	(120 992) $

CALCULATRICE

– 417 500 (CFi)
– 9 750 (CFi)
55 250 (CFi)
126 750 (CFi)
113 750 (CFi)
201 500 (CFi)
13,5 (i)
(NPV)
– 120 992 $

Étape 4 : calculer le *TRI*.

$$TRI = \left[\frac{-9\,750}{(1+TRI)} + \frac{55\,250}{(1+TRI)^2} + \frac{261\,750}{(1+TRI)^3} + \right.$$

$$\left. \left[\frac{113\,750}{(1+TRI)^4} + \frac{201\,500}{(1+TRI)^5}\right] - 417\,500 = 0\right.$$

TRI = 3,98 (en utilisant l'interpolation linéaire)

CALCULATRICE

– 417 500 (CFi)
– 9 750 (CFi)
55 250 (CFi)
126 750 (CFi)
113 750 (CFi)
201 500 (CFi)
4 (i)
(TRI)
3,98 %

Note : Afin de faciliter le travail de la calculatrice, il peut être souhaitable de lui indiquer une valeur initiale que l'on estime proche du *TRI* à calculer, d'où le recours à la touche (i). Ne pas indiquer de valeur peut entraîner un temps de calcul beaucoup plus long.

8.

a) **Étape 1 :** déterminer les *FM* marginaux.

	Sans projet			Avec projet		
	Frais fixes ($)	**Frais variables** ($)	**Total** ($)	**Frais fixes** ($)	**Frais variables** ($)	**Total** ($)
An 1	400 000	415 000	815 000	525 000	311 250	836 250
An 2	400 000	605 000	1 005 000	525 000	453 750	978 750
An 3	400 000	910 000	1 310 000	525 000	682 500	1 207 500
An 4	400 000	1 070 000	1 470 000	525 000	802 500	1 327 500
An 5	400 000	1 375 000	1 775 000	525 000	1 031 250	1 556 250
An 6	400 000	250 000	650 000	525 000	187 500	712 500

	FM marginal ($)			**Impôts à payer (1 – *T*)**	**Après impôts**	**Actualisation**	***FM* actualisés après impôts** ($)
An 1 =	815 000	– 836 250	– 21 250	(0,7)	– 14 875	$(1{,}125)^{-1}$	– 13 222
An 2 =	1 005 000	– 978 750	26 250	(0,7)	18 375	$(1{,}125)^{-2}$	14 519
An 3 =	1 310 000	– 1 207 500	102 500	(0,7)	71 750	$(1{,}125)^{-3}$	50 392
An 4 =	1 470 000	– 1 327 500	142 500	(0,7)	99 750	$(1{,}125)^{-4}$	62 273
An 5 =	1 775 000	– 1 556 250	218 750	(0,7)	153 125	$(1{,}125)^{-5}$	84 974
An 6 =	650 000	– 712 500	– 62 500	(0,7)	– 43 750	$(1{,}125)^{-6}$	– 21 581
							177 355

Étape 2 : déterminer le coût du projet, au début de l'an 0.

Achat d'équipement	=	125 000 $
Valeur après impôts de la prime versée au chef mécanicien = 35 000 × 0,7	=	24 500
		149 500 $

Étape 3 : déterminer la VAN.

FM – coût	=	*VAN*
177 355 – 149 500	=	27 855 $

Réponse : l'entreprise devrait réaliser le projet.

CALCULATRICE

– 149 500	*CFi*
– 14 875	*CFi*
18 375	*CFi*
71 750	*CFi*
99 750	*CFi*
153 125	*CFi*
– 43 750	*CFi*
12,5	*i*
	NPV
	27 855 $

b) Toutes les possibilités doivent être analysées au temps 0, car la décision du moment de la réalisation du projet se prend aujourd'hui.

1. Réalisation au temps 0 = *VAN* = 27 855 $
2. Réalisation à l'an 1 :

	FM	
An 2	14 519	
An 3	50 392	
An 4	62 273	
An 5	84 974	
An 6	–21 581	190 577

Coûts actualisés :

- valeur de l'équipement à l'an 1 = 125 000 × 1,07 = 133 750 $(1{,}125)^{-1}$ = 118 889
- valeur après impôts de la prime versée au chef mécanicien = 35 000 × 0,7 = 24 500 $(1{,}125)^{-1}$ = 21 778

(140 667)

VAN = 49 910 $

3. Réalisation à l'an 2 :

	FM
An 3	50 392
An 4	62 273
An 5	84 974
An 6	– 21 581

176 058

Coûts actualisés :

- valeur de l'équipement
  à l'an 2 = 125 000 $(1{,}07)^2$ = 143 113 $(1{,}125)^{-2}$ = 113 077
- valeur après impôts de la prime versée au
  chef mécanicien = 35 000 × 0,7 = 24 500 $(1{,}125)^{-2}$ = 19 358

(132 435)

VAN = 43 623 $

Marginalement, comme nous pouvons le constater, il serait plus avantageux de réaliser le projet dans un an compte tenu d'une *VAN* de 27 855 $ si l'on réalise le projet immédiatement, de 43 623 $ si l'on réalise le projet dans deux ans, comparativement à une *VAN* de 49 910 $ si l'on réalise le projet dans un an. Il est inutile de calculer les *VAN* subséquentes puisque l'avantage de la diminution du coût du projet est amplement compensé par la perte d'un *FM* positif nettement supérieur.

Chapitre 9

Le calcul de la *VAN* en contexte fiscal canadien

Les questions

1. Quels sont les flux monétaires occasionnés par la revente d'actifs à la fin d'un projet?

2. Identifiez les incidences fiscales qui se rattachent à la revente d'actifs à la fin d'un projet.

Les problèmes

1. La compagnie Oméga désire acquérir une nouvelle machine dont le coût total est de 180 000 $. Grâce à cette machine, Oméga pourrait économiser annuellement 45 000 $ en main-d'œuvre et 25 000 $ en matières premières. On prévoit utiliser cette nouvelle machine pendant cinq ans, après quoi on la revendra à sa valeur marchande. Le taux d'imposition de la compagnie est de 38 % et son taux d'actualisation est de 16 %.

a) Oméga doit-elle accepter ou refuser ce projet, en supposant que la machine est amortie à 20 % sur le solde dégressif et qu'elle n'ait aucune valeur de revente en fin de projet? Il n'y a pas de fermeture de classe.

b) Même question qu'en a), mais en considérant une valeur de revente de 200 000 $, sans fermeture de la classe d'amortissement.

c) Même question qu'en a), mais en considérant une valeur de revente de 25 000 $, sans fermeture de la classe d'amortissement.

d) Même question qu'en a), mais en considérant une valeur de revente de 200 000 $ avec fermeture de la classe d'amortissement.

e) Même question qu'en a), mais en considérant une valeur de revente de 35 000 $, avec fermeture de la classe d'amortissement.

f) Même question qu'en a), mais en considérant une valeur de revente de 75 000 $, avec fermeture de la classe d'amortissement.

2. Vous envisagez de créer une toute nouvelle compagnie que vous appellerez Ajax inc., afin de réaliser un projet qui durera sept ans. Ce projet nécessitera des investissements répartis sur deux ans. Voici les coûts de ces investissements :

	Début du projet	Fin de l'année 1	Fin de l'année 2
Terrain	750 000 $		
Immeuble		2 000 000 $	
Équipements			1 500 000 $

L'immeuble est amortissable à 5 % et les équipements, à 20 % sur le solde dégressif. On prévoit, pour les années 3 à 7 inclusivement, des flux monétaires de

2 000 000 $ par année. Il s'agit de flux monétaires avant impôts et avant amortissement. À la toute fin du projet, vous cesserez les activités de Ajax inc. et liquiderez tous les actifs à leur valeur marchande, que vous estimez comme suit :

	Valeur à la fin de l'année 7
Terrain	1 000 000 $
Immeuble	2 200 000 $
Équipements	110 000 $

Comme il s'agit d'un projet risqué, vous en exigez 18 % de rendement; votre taux d'imposition sera de 42 %. Devriez-vous accepter ou refuser ce projet?

3. Il y a peu de temps, B. Alpha enr. demandait à son comptable d'analyser la rentabilité d'un projet nécessitant l'acquisition d'équipements électroniques sophistiqués au coût de 500 000 $, frais d'installation compris. Après avoir consulté quelques experts, le comptable de B. Alpha enr. prévoit le bénéfice comptable suivant pour chacune des trois années que durera le projet :

	Fin de l'année 1	Fin de l'année 2	Fin de l'année 3
Revenus	483 334 $	496 667 $	521 667 $
Dépenses d'exploitation et d'administration	200 000	225 000	240 000
Amortissement	100 000	100 000	100 000
Frais financiers	50 000	30 000	15 000
Profit avant impôts	133 334 $	141 667 $	166 667 $
Impôts (40 %)	53 334	56 667	66 667
Profit net	80 000 $	85 000 $	100 000 $

Notes :

1. Tous les revenus seront encaissés et toutes les dépenses seront déboursées au moment de leur réalisation. Seule la dépense d'amortissement n'occasionnera aucun débours.
2. L'amortissement comptable est linéaire sur trois ans et est basé sur une valeur de revente de 200 000 $, à la fin de la troisième année.

À la demande de son patron, le comptable n'a fait de prévisions que sur trois ans, car on prévoit revendre les équipements après ce temps au prix estimé de 200 000 $. Notez que cette vente entraînera la fermeture de la classe d'amortissement à laquelle appartiennent les équipements et que le taux d'allocation du coût en capital prescrit par le fisc pour cette catégorie d'actifs est de 20 % sur le solde dégressif. Voici la lettre envoyée par le comptable à son patron :

> *Cher monsieur,*
>
> *Vous trouverez jointes à cette lettre mes prévisions concernant le projet envisagé. À la lumière des chiffres exposés, il m'apparaît très clair que vous devriez abandonner votre projet. D'une part, les profits générés par le projet, incluant la revente des équipements, ne permettront pas de recouvrer l'investissement (80 000 + 85 000 + 100 000 + 200 000 < 500 000). D'autre part, le taux de rendement comptable, qui n'est que de 17,7 %, se situe bien en dessous du taux historique de 20 %. Je recommande donc le rejet du projet dans les plus brefs délais.*

Le propriétaire de B. Alpha enr. reste surpris après avoir lu cette lettre, car plusieurs concurrents ont déjà acquis ce type d'équipement et semblent très satisfaits. Il demande donc à un analyste financier, vous pour la circonstance, de vérifier les chiffres du comptable. À votre demande, votre patron vous confie que le taux d'actualisation qu'il utilise pour analyser ce type de projet est de 15 %. Que recommanderiez-vous au propriétaire de B. Alpha enr.?

Les réponses

1. La revente d'actifs à la fin d'un projet entraîne deux flux monétaires : la valeur de la revente et la perte d'économies d'impôts liées à l'ACC, dans le cas où la valeur de revente est supérieure à 0.

2. *Lorsqu'il n'y a pas de fermeture de la classe d'amortissement*

1) Si *VR* = 0, il n'y a pas de revente d'actifs.
2) Si *VR* < *C*, il faut considérer :
   - la *VAVR* de l'actif (+),
   - la *VAPEIACC* (–).
3) Si *VR* > *C*, il faut considérer :
   - la *VAVR* de l'actif (+),
   - la *VAPEIACC* (–),
   - la *VAIGC* (–).
4) Si *VR* = *C*, il faut considérer :
   - la *VAVR* de l'actif (+),
   - la *VAPEIACC* (–).

Lorsqu'il y a fermeture de la classe d'amortissement

1) Si *VR* < *FNACC*, il faut considérer :
   - la *VAVR* de l'actif (+),
   - la *VAPEIACC* (–),
   - la *VAEIPT* (+).
2) Si *VR* > *FNACC*, il faut considérer :
   - la *VAVR* de l'actif (+),
   - la *VAPEIACC* (–),
   - la *VAIRA* (–).
3) Si *VR* > *C*, il faut considérer :
   - la *VAVR* de l'actif (+),
   - la *VAPEIACC* (–),
   - la *VAIGC* (–),
   - la *VAIRA* (–).

Les solutions

1.

a) *Au début du projet*

Investissement initial – 180 000 $

En cours de projet

- *FMGOP* de 1 à 5

Économies de main-d'œuvre	=	45 000 $
Économies de matières premières	=	25 000
		70 000 $
Impôts (38 %)		(26 600)
FM après impôts		43 400 $

Valeur actuelle $= 43\,400 \times \left[\dfrac{1-(1+0{,}16)^{-5}}{0{,}16}\right] = 142\,104$ $

- *VAEIACC*

VAEIACC $= \left[\dfrac{180\,000 \times 0{,}20 \times 0{,}38}{0{,}(16+0{,}20)}\right]\left[\dfrac{1{,}08}{1{,}16}\right] = 35\,379$ $

À la fin du projet

- *VR* 0 $

VAN

- *VAN* $= -180\,000 + 142\,104 + 35\,379 + 0 = -2\,517$ $

Réponse : Oméga doit refuser ce projet.

b) Il n'y a de changement qu'en fin de projet, puisqu'il y a revente avec un gain en capital imposable.

À la fin du projet

- $VAVR = 200\,000(1{,}16)^{-5} = 95\,223\ \$$

- $VAPEIACC$

  $VAPEIACC = \dfrac{MIN(180\,000,\ 200\,000) \times 0{,}2 \times 0{,}38}{0{,}16 + 0{,}20}(1{,}16)^{-5}$

  $VAPEIACC = -\ 18\,092\ \$$

- Impôt à payer sur gain en capital (*IGC*)

  $GC = VR - C$

  $GC = 20\,000\ \$$

  $IGC = GC \times 0{,}75 \times T$

  $IGC = 20\,000 \times 0{,}75 \times 0{,}38$

  $IGC = 5\,700\ \$$

  $VAIGC = \mathrm{IGC}(1 + k)^{-n}$

  $VAIGC = 5\,700(1{,}16)^{-5} = -\ 2\,714\ \$$

- VAN

  $VAN = -180\,000 + 142\,104 + 35\,379 + 95\,223 - 18\,092 - 2\,714$

  $VAN = \underline{\underline{71\,900}}\ \$$

Réponse : Oméga doit accepter le projet.

c) La différence avec le cas b) c'est qu'il n'y aura pas d'impôt à payer sur un gain en capital, car *VR* < C. Les *PEIACC* seront calculées sur 25 000 $ plutôt que sur 180 000 $, soit :

- *VAPEIACC*

  $$VAPEIACC = \frac{MIN(25\,000,\ 180\,000) \times 0{,}2 \times 0{,}38}{0{,}16 + 0{,}20}(1{,}16)^{-5}$$

  $$VAPEIACC = -2\,513\ \$$$

- *VAVR* en fin de projet

  $$VAVR = 25\,000(1{,}16)^{-5} = 11\,903\ \$$$

VAN

- $$VAN = -180\,000 + 142\,104 + 35\,379 + 11\,903 - 2\,513$$

  $$VAN = \underline{\underline{6\,873}}\ \$$$

Réponse : Oméga doit accepter le projet.

d) Reprenons les calculs depuis le début.

Au début du projet

Investissement initial	– 180 000 $

En cours de projet

• *FMGOP* de 1 à 5	142 104 $
• VAEIACC	35 379 $
• *VAN* avant la fin du projet	– 2 517 $

À la fin du projet

• *FNACC* $= 180\,000 \times [(1 - 0{,}5 \times 0{,}20)\,(1 - 0{,}20)^{5-1}]$

FNACC $= 66\,355$ $

• *VAVR* $= 200\,000(1{,}16)^{-5} = 95\,223$ $

• *VAIGC*

VAIGC $= \dfrac{(200\,000 - 180\,000) \times 0{,}75 \times 0{,}38}{(1{,}16)^5}$

VAIGC $= -2\,714$ $

• *VAIRA*

VAIRA $= \dfrac{(180\,000 - 66\,355) \times 0{,}38}{(1{,}16)^5}$

VAIRA $= -20\,561$ $

• *VAPEIACC*

VAPEIACC $= \dfrac{66\,355 \times 0{,}2 \times 0{,}38}{0{,}16 + 0{,}20}(1{,}16)^{-5}$

VAPEIACC $= -6\,670$ $

VAN

• *VAN* 62 761 $

Réponse : Oméga doit accepter le projet.

e) *VAN* avant la fin du projet — 2 517 $

À la fin du projet

- *VAVR* $= 35\,000\,(1{,}16)^{-5} = 16\,664$ $
- *VAEIPT*

  $$VAEIPT = \frac{(66\,355 - 35\,000) \times 0{,}38}{(1{,}16)^5}$$

  VAEIPT = 5 673 $
- *VAPEIACC*

  $$VAPEIACC = \frac{66\,355 \times 0{,}2 \times 0{,}38}{0{,}16 + 0{,}20}(1{,}16)^{-5}$$

  VAPEIACC = – 6 670 $

VAN

- *VAN* 13 150 $

Réponse : Oméga doit accepter le projet.

f) *VAN* avant la fin du projet — 2 517 $

À la fin du projet

- *VAVR* $= 75\,000(1{,}16)^{-5} = 35\,708$ $
- *VAIRA*

  $$VAIRA = \frac{(75\,000 - 66\,355) \times 0{,}38}{(1{,}16)^5}$$

  VAIRA = – 1 564 $
- *VAPEIACC*

  $$VAPEIACC = \frac{66\,355 \times 0{,}2 \times 0{,}38}{0{,}16 + 0{,}20}(1{,}16)^{-5}$$

  VAPEIACC = – 6 670 $

VAN

- *VAN* 24 957 $

Réponse : Oméga doit accepter le projet.

2. Comme Ajax inc. cessera ses activités, les catégories d'actifs seront automatiquement fermées.

Au début du projet : valeur actualisée du coûts.

Terrain			– 750 000 $
Immeuble	=	$200\,000(1{,}18)^{-1}$	= – 1 694 915 $
Équipements	=	$1\,500\,000\,(1{,}18)^{-2}$	= – 1 077 277 $

En cours de projet

- *FMGOP* de 3 à 7 = 2 000 000(1 – 0,42) pendant cinq ans.
- *VAFMGOP* de 3 à 7

$$VAFMGOP = [2\,000\,000(1-0{,}42)]\left[\frac{1-(1{,}18)^{-5}}{0{,}18}\right](1{,}18)^{-2}$$

$$VAFMGOP = 2\,605\,227\ \$$$

- *VAEIACC*

$$VAEIACC\ immeuble = \left[\frac{2\,000\,000 \times 0{,}05 \times 0{,}42}{0{,}18+0{,}05} \times \frac{1{,}09}{1{,}18}\right](1{,}18)^{-1}$$

$$VAEIACC\ immeuble = 142\,950\ \$$$

$$VAEIACC\ équipements = \left[\frac{1\,500\,000 \times 0{,}2 \times 0{,}42}{0{,}18+0{,}2} \times \frac{1{,}09}{1{,}18}\right](1{,}18)^{-2}$$

$$VAEIACC\ équipements = 219\,972\ \$$$

À la fin du projet

- *FNACC*

$$FNACC\ immeuble = 2\,000\,000\,(1-0{,}5 \times 0{,}05)\,(1-0{,}05)^{6-1}$$

$$= 1\,508\,873\ \$$$

$$FNACC\ équipements = 1\,500\,000\,(1-0{,}5 \times 0{,}20)\,(1-0{,}20)^{5-1}$$

$$= 552\,960\ \$$$

- *VR*

VR terrain	=	$1\,000\,000(1{,}18)^{-7}$	=	313 925 $
VR immeuble	=	$2\,200\,000(1{,}18)^{-7}$	=	690 635 $
VR équipements	=	$110\,000(1{,}18)^{-7}$	=	34 531 $

- *VAPEIACC (fermeture de classe)*

VAPEIACC terrain

$$VAPEIACC\ immeuble = \frac{1\,508\,873 \times 0{,}05 \times 0{,}42}{0{,}18 + 0{,}05}(1{,}18)^{-7}$$

VAPEIACC immeuble = – 43 248 $

$$VAPEIACC\ équipements = \frac{552\,960 \times 0{,}2 \times 0{,}42}{0{,}18 + 0{,}2}(1{,}18)^{-7}$$

VAPEIACC équipements = – 38 372 $

Traitement fiscal en fermeture

- Terrain : gain en capital

$$VAIGC = \frac{(1\,000\,000 - 750\,000) \times 0{,}75 \times 0{,}42}{(1{,}18)^{7}}$$

VAIGC = – 24 722 $

- Immeuble : gain en capital et récupération

$$VAIGC = \frac{(2\,000\,000 - 2\,000\,000) \times 0{,}75 \times 0{,}42}{(1{,}18)^{7}}$$

VAIGC = – 19 777 $

$$VAIRA = \frac{(2\,000\,000 - 1\,508\,873) \times 0{,}42}{(1{,}18)^{7}}$$

VAIRA = – 64 754 $

- Équipements : perte terminale

$$VAEIPT = \frac{(552\,960 - 110\,000) \times 0{,}42}{(1{,}18)^7}$$

VAEIPT = 58 404 $

- *VAN* 352 579 $

Réponse : vous devriez accepter ce projet.

3. *Au début du projet*

Investissement –500 000 $

En cours de projet

- Comme les *FMGOP* sont des flux monétaires avant amortissement et frais financiers, mais après impôts, il faut donc transformer les profits estimés par le comptable.

	Fin de l'année 1	**Fin de l'année 2**	**Fin de l'année 3**
Profit avant impôts	133 334 $	141 667 $	166 667 $
(+) frais financiers	50 000	30 000	15 000
(+) amortissement comptable	100 000	100 000	100 000
Flux monétaire imposable	283 334 $	271 667 $	281 667 $
Impôts	113 334	108 667	112 667
FMGOP	170 000 $	163 000 $	169 000 $

- *VAFMGOP*

$$VAFMGOP = \frac{170\ 000}{(1,15)^1} + \frac{163\ 000}{(1,15)^2} + \frac{169\ 000}{(1,15)^3}$$

$$VAFMGOP = 382\ 198\ \$$$

- *EIACC*

$$EIACC = \left[\frac{500\ 000 \times 0,2 \times 0,4}{0,15 + 0,2} \times \frac{1,075}{1,15}\right]$$

$$EIACC = 106\ 832\ \$$$

À la fin du projet

- *VAVR*

$$VAVR = 200\ 000(1,15)^{-3}$$

$$VAVR = 131\ 503\ \$$$

- *FNACC*

$$FNACC = 500\,000(1 - 0{,}5 \times 0{,}2)\,(1 - 0{,}2)^{3-1}$$

$$FNACC = 288\,000\ \$$$

- *VAPEIACC*

$$VAPEIACC = \left[\frac{288\,000 \times 0{,}2 \times 0{,}4}{0{,}15 + 0{,}2}\right](1{,}15)^{-3}$$

$$VAPEIACC = -43\,283\ \$$$

- *VAIPT*

$$VAIPT = \left[\frac{(288\,000 - 200\,000) \times 0{,}4}{(1{,}15)^3}\right]$$

$$VAIPT = 23\,145\ \$$$

- *VAN* $\underline{\underline{100\,395}}\ \$$

Réponse : on doit accepter le projet.

Chapitre 10

La gestion des investissements et ses particularités

Les questions

1. Identifiez les flux monétaires dont il faut tenir compte avant de prendre la décision de remplacer un actif.
2. Expliquez comment déterminer la période optimale de remplacement des actifs.
3. Expliquez les deux critères qui peuvent aider à déterminer la période optimale de remplacement des actifs.
4. Distinguez les sorties de fonds capitalisables des sorties de fonds non capitalisables.
5. Expliquez quels sont les flux monétaires produits par les sorties de fonds évitées capitalisables et ceux qui sont générés par les sorties de fonds évitées non capitalisables.
6. Quels sont les principaux facteurs à envisager avant d'abandonner un projet?
7. Expliquez les deux critères qui peuvent aider à déterminer le moment optimal d'abandon d'un projet.
8. Expliquez en quoi l'inflation peut influer sur le choix des investissements.

Les problèmes

1. La compagnie forestière Bûche inc. envisage de remplacer une partie de sa chaîne de production. Un investissement de 450 000 $ serait requis pour acquérir de la nouvelle machinerie. L'acquisition de cet équipement, d'origine allemande, nécessiterait des frais de transport de 75 000 $. L'installation coûterait pour sa part 15 000 $. Ces nouvelles machines ont une durée de vie de dix ans. Les vieilles pièces d'équipement avaient été acquises il y a cinq ans à un coût de 250 000 $ (transport et installation inclus).

Les avantages de la réalisation de ce projet sont liés aux frais de fabrication, qui connaîtront une baisse substantielle. La capacité de production demeurera inchangée.

	Avant le projet ($)	**Après le projet** ($)
Dépenses annuelles		
Salaires	150 000	45 000
Électricité/chauffage	55 000	40 000
Assurances	10 000	6 000

Les actifs acquis se situent dans la même classe d'amortissement que ceux qui sont déjà détenus par l'entreprise. Un taux de 20 % sur le solde dégressif est accepté sur le plan fiscal. Le taux d'actualisation pour ce genre de projet est de 14 %. L'entreprise est imposée à un taux de 45 %.

La compagnie devrait-elle procéder aux changements prévus, sachant que :

a) les vieilles ainsi que les nouvelles pièces d'équipement n'ont aucune valeur de revente?

b) les vieilles pièces d'équipement n'ont aucune valeur de revente et que les nouvelles pourraient être vendues à la fin du projet pour 225 000 $ (sans fermeture de la classe d'amortissement)?

c) les vieilles pièces d'équipement ont aujourd'hui une valeur de revente de 150 000 $, aucune valeur de revente à la fin du projet et que les nouvelles pourraient être vendues à la fin du projet pour 225 000 $ (sans fermeture de la classe d'amortissement)?

d) les vieilles pièces d'équipement ont aujourd'hui une valeur de revente de 275 000 $, aucune valeur de revente à la fin du projet et que les nouvelles pourraient être vendues à la fin du projet pour 225 000 $ (sans fermeture de la classe d'amortissement)?

e) les vieilles pièces d'équipement ont aujourd'hui une valeur de revente de 150 000 $, qu'elles auraient dans 10 ans une valeur de revente de 25 000 $ et que les nouvelles pourraient être vendues à la fin du projet pour 225 000 $ (avec fermeture de la classe d'amortissement)? (Il n'y avait aucun actif dans cette catégorie avant l'achat des vieilles machines.)

2. Vous êtes engagé en tant qu'analyste financier, durant la saison estivale, par une entreprise manufacturière de la région. Cette entreprise est spécialisée dans le domaine des matériaux composites. Vous avez comme objectif d'étudier la faisabilité de différents projets. Le premier projet qui vous est soumis concerne la fabrication d'un moule qui permettra à la compagnie d'implanter un nouveau produit sur le marché. Les coûts de fabrication de ce moule sont estimés à 325 000 $ et seraient amortis au point de vue fiscal au taux de 35 % sur le solde dégressif.

Les ventes générées par ce nouveau produit seraient de 325 000 $ par année. Le coût de la main-d'œuvre, des matières premières et les frais généraux seraient d'environ 150 000 $ par an. La durée de vie de ce moule est de cinq ans, mais pourrait être prolongée de trois ans si des réparations majeures étaient réalisées au début de la quatrième année à un coût de 200 000 $. Cette réfection serait considérée sur le plan fiscal comme une dépense capitalisable. Au terme de sa vie utile, la valeur résiduelle du moule sera nulle.

En sachant que le taux d'imposition de l'entreprise est de 40 % et que l'on vous suggère d'utiliser un taux d'actualisation de 15 %, déterminez si l'entreprise devrait réaliser le projet si :

a) les réparations ne sont pas effectuées et qu'il n'y a pas de fermeture de la classe d'amortissement.

b) les réparations ne sont pas effectuées et qu'il y a fermeture de la classe d'amortissement.

c) les réparations sont effectuées et qu'il y a fermeture de la classe d'amortissement.

d) les réparations sont effectuées et qu'il s'agit d'une sortie de fonds non capitalisable (sans fermeture de la classe d'amortissement).

3. Un pépiniériste envisage la possibilité de construire une toute nouvelle serre d'une superficie de 55 000 pi^2 au coût de 775 000 $. Cette serre servirait à produire des roses rouges et remplacerait les trois serres actuellement assignées à cette production. La capacité de production ne serait pas accrue, mais les nouvelles installations auraient des avantages énergétiques indéniables. Les coûts d'énergie diminueraient de 78 à 28 cents par rose, ce qui est considérable étant donné le niveau de production de 250 000 roses par année.

La nouvelle serre serait efficace durant huit ans. Les trois serres actuellement détenues par l'entreprise ont un certain âge. Elles devraient être remises en bon état (capitalisables) dans trois ans au coût de 375 000 $, pour leur permettre d'être encore productives durant cinq ans.

L'entreprise est imposée à un taux de 35 % et un taux d'actualisation de 15 % doit être utilisé pour analyser un tel projet. Les serres sont amorties sur le plan fiscal à un taux de 25 %. Ce type de biens de production n'a aucune valeur de revente.

a) Le pépiniériste devrait-il réaliser le projet (sans fermeture de la classe d'amortissement)?

b) Quel niveau de production annuelle minimal de roses devrait-on atteindre afin de justifier la réalisation du projet (sans fermeture de la classe d'amortissement)?

c) Si la réfection des serres était non capitalisable, serait-il avantageux de réaliser le projet (sans fermeture de la classe d'amortissement)?

d) Compte tenu que le pépiniériste désire prendre sa retraite dans huit ans et ainsi fermer son entreprise (fermeture de la classe avec $VR = 0$), devrait-il réaliser le projet si la *FNACC* de la classe d'amortissement est actuellement de 200 000 $?

   i) Si la réfection est non capitalisable?

   ii) Si la réfection est capitalisable?

4. La compagnie Océan inc. possède une flotte de 28 navires ayant une capacité de tonnage de 15 tonnes. Le coût d'achat de chaque navire est de 3,5 millions de dollars.

Les navires ont une durée de vie de dix ans. Le contrôleur de la compagnie estime que la durée de vie optimale des navires pourrait être inférieure à dix ans. Le contrôleur vous fournit les renseignements suivants, par navire et après impôts :

Année	**Valeur de revente** (en millions de dollars)	**Dépréciation** (en millions de dollars)	**Frais d'entretien pour l'année** (en milliers de dollars)
1	3	0,5	550
2	2,6	0,4	600
3	2,3	0,3	650
4	2,0	0,3	700
5	1,75	0,25	725
6	1,5	0,25	790
7	1,3	0,2	875
8	1,1	0,2	990
9	0,9	0,2	1 100
10	0,7	0,2	1 225

a) Compte tenu uniquement des chiffres qui apparaissent ci-dessus et d'un taux d'actualisation de 13 %, déterminez les coûts totaux, en valeur actuelle, pour exploiter un navire selon chacun des cycles.

b) La compagnie Océan inc. devrait-elle utiliser chaque navire durant toute sa vie utile ou serait-il préférable de les changer plus régulièrement (selon le *CAE*)?

5. Alcan envisage le projet suivant :

Année	**Flux monétaires réels** (sans inflation) ($)
0	– 6 000 000
1	2 625 000
2	11 025 000

Vous êtes analyste financier et le vice-président aux finances d'Alcan vous demande d'évaluer la rentabilité de ce projet en utilisant le critère de la *VAN*. Il ajoute également que vous *devez* utiliser un taux de rendement *nominal* de 10,25 % pour actualiser les flux monétaires *réels* espérés qu'il vous a soumis. Sachant que les « spécialistes » anticipent un taux annuel moyen d'inflation de 5 % pour les quatre prochaines années, calculez la *VAN* de deux façons équivalentes.

Les réponses

1. Il faut tenir compte du coût d'acquisition du nouvel actif et de la valeur de revente de l'ancien actif, des flux monétaires liés à la fiscalité et des changements dans les flux monétaires générés par les opérations (*FMGOP*).

2. La période optimale de remplacement est celle qui maximise l'écart entre les encaissements et les décaissements. C'est la période qui maximise la *VAN* du projet de remplacement, c'est-à-dire celle pour laquelle la valeur actualisée des sorties de fonds est la plus petite possible alors que la valeur des entrées de fonds est la plus grande possible.

3. On peut utiliser le critère de la *VAN*, et dans ce cas choisir le moment optimal de réalisation du projet comme étant le moment où la valeur actuelle nette du projet de remplacement est la plus élevée. Toutefois, le calcul de la *VAN* en contexte fiscal canadien est relativement complexe. Un autre critère, plus direct, peut être utilisé, soit celui du flux monétaire annuel équivalent qui consiste à calculer la valeur actuelle des dépenses pour chaque moment de remplacement et à choisir le moment où ce coût est le moindre.

4. Les sorties de fonds capitalisables sont réalisées pour des actifs amortissables. Elles ont une incidence fiscale et donnent lieu à des économies d'impôts liées à l'*ACC* dont il faut tenir compte dans le calcul de la *VAN*. Lorsque les actifs ne sont pas amortissables, les sorties de fonds sont non capitalisables. Elles donnent lieu à des économies d'impôts liées à leur déductibilité dans le cadre des opérations courantes de l'entreprise qui doivent être considérées lors du calcul de la *VAN*.

5. Dans les deux situations, les sorties de fonds évitées amènent un flux monétaire positif puisqu'elles permettent d'éviter un débours. Elles entraînent également un flux monétaire négatif qui se traduit cependant différemment. Alors que les sorties de fonds auraient permis d'obtenir des *EIACC* dans le cas des sorties de fonds évitées capitalisables, les sorties de fonds évitées non capitalisables empêchent l'entreprise de bénéficier d'économies d'impôts dues à la déductibilité des dépenses.

6. Avant d'abandonner un projet, il faut estimer les valeurs de récupération susceptibles d'être obtenues aux différents moments envisagés pour l'abandon, calculer la valeur actualisée des flux monétaires prévus pour ces différents moments en tenant compte de la valeur de revente ou de récupération et, enfin, choisir le moment optimal d'abandon comme étant celui où le coût annuel équivalent est à son minimum ou celui où la *VAN* est à son maximum.

7. Comme dans la situation de remplacement d'un actif, on peut baser la détermination du moment optimal d'abandon sur le calcul de la *VAN* ou sur l'approche du coût monétaire équivalent.

8. L'inflation est la perte du pouvoir d'achat de l'argent. Par définition, la perte du pouvoir de l'argent va donc affecter les flux monétaires ainsi que le taux d'actualisation. L'évaluation des investissements repose sur le critère de la *VAN*, dont le calcul est basé sur le taux d'actualisation et les flux monétaires. Pour que la *VAN* soit la plus précise possible, elle doit donc être ajustée pour tenir compte de la perte du pouvoir d'achat.

Les solutions

1.

a) Aucune valeur de revente.

Étape 1 : déterminer le coût du projet.

Achat d'une nouvelle machinerie	450 000 $	
Transport	75 000	
Installation	15 000	
Vente de la vieille machinerie	0	
	540 000 $	– 540 000 $

Étape 2 : déterminer les *FM* marginaux durant le projet.

- *FMGOP*

Économies de salaires : 150 000 – 45 000 =	105 000 $
Économies d'électricité/ chauffage : 55 000 – 40 000 =	15 000
Économies d'assurances : 10 000 – 6 000 =	4 000
	124 000 $
Impôts (45 %)	× 0,55
	68 200 $

- *VAFMGOP*

$$VAFMGOP = PMT\left[\frac{1-(1+i)^{-n}}{i}\right]$$

$$VAFMGOP = 68\,200\left[\frac{1-(1,14)^{-10}}{0,14}\right]$$

$$VAFMGOP \qquad = 355\,739\ \$$$

- *VAEIACC*

$$VAEIACC = \left[\frac{C \times d \times T}{k+d}\right]\left[\frac{1+0,5k}{1+k}\right]$$

$$VAEIACC = \left[\frac{540\,000 \times 0,2 \times 0,45}{0,14+0,2}\right]\left[\frac{1,07}{1,14}\right]$$

$$VAEIACC \qquad = 134\,164\ \$$$

Étape 3 : déterminer les *FM* en fin de projet.

Aucun flux monétaire additionnel	0 $
VAN	
• *VAN*	– 50 097 $

Réponse : la compagnie ne devrait donc pas procéder aux changements prévus.

b) **Étape 1 :** déterminer le coût du projet.

Voir a)	– 540 000 $

Étape 2 : déterminer les *FM* marginaux durant le projet.

VAFMGOP (voir a)	355 739 $
VAEIACC (voir a)	134 164 $

Étape 3 : déterminer les *FM* en fin de projet.

- *VA* de la vente de la nouvelle machinerie $225\,000(1{,}14)^{-10}$ = 60 692 $
- *VAPEIACC* pour la vente de la nouvelle machinerie

$$VAPEIACC = \frac{min(VR,C) \times d \times T}{k + d} \times (1 + k)^{-n}$$

$$VAPEIACC = \frac{225\,000 \times 0{,}2 \times 0{,}45}{0{,}14 + 0{,}2} \times (1{,}14)^{-10}$$

VAPEIACC = – 16 066 $

VAN

- *VAN* – 5 471 $

Réponse : la compagnie ne devrait donc pas procéder aux changements prévus.

c) **Étape 1 :** déterminer le coût du projet.

Achat de la nouvelle machinerie	450 000 $	
Transport	75 000	
Installation	15 000	
Vente de la vieille machinerie	(150 000)	
	390 000 $	– 390 000 $

Étape 2 : déterminer les *FM* durant le projet.

- *VAFMGOP* (voir a) 355 739 $
- *VAEIACC*

$$VAEIACC = \left[\frac{C_m \times d \times T}{k+d}\right]\left[\frac{1+0{,}5k}{1+k}\right]$$

$$VAEIACC = \left[\frac{390\,000 \times 0{,}2 \times 0{,}45}{0{,}14+0{,}2}\right]\left[\frac{1{,}07}{1{,}14}\right]$$

VAEIACC = 96 896 $

Note : Le coût marginal du projet (*Cm*) est égal aux coûts totaux capitalisables de 540 000 $ (= 450 000 $ + 75 000 $ + 15 000 $), diminués de 150 000 $, soit le minimum de la valeur de revente (*VR* = 150 000 $) et du coût initial de la vieille machinerie (*C* = 250 000 $). 540 000 $ – *min*(150 000 $, 250 000 $) = 390 000 $

Étape 3 : déterminer les *FM* en fin de projet.

- Vente de la nouvelle machinerie (voir b) 60 692 $
- *VAPEI* pour la vente de la nouvelle machinerie (voir b) – 16 066 $

VAN

- *VAN* 107 261 $

Réponse : la compagnie devrait donc procéder aux changements prévus.

d) **Étape 1 :** déterminer le coût du projet.

Achat de la nouvelle machinerie	450 000 $	
Transport	75 000	
Installation	15 000	
Vente de la vieille machinerie	(275 000)	
	265 000 $	– 265 000 $

Gain en capital

$GC = 275\ 000 - 250\ 000 = 25\ 000$

Impot sur le gain en capital

$IGC = 25\ 000 \times 0{,}75 \times 0{,}45$

IGC = – 8 438 $

Étape 2 : déterminer les *FM* marginaux durant le projet.

- *VAFMGOP* (voir a) 355 739 $
- *VAEIACC*

$$VAEIACC = \left[\frac{C_m \times d \times T}{k + d}\right]\left[\frac{1 + 0{,}5k}{1 + k}\right]$$

$$VAEIACC = \left[\frac{290\ 000 \times 0{,}2 \times 0{,}45}{0{,}14 + 0{,}2}\right]\left[\frac{1{,}07}{1{,}14}\right]$$

$VAEIACC$ = 72 051 $

Note : Le coût marginal du projet (*Cm*) est égal aux coûts totaux capitalisables de 540 000 $ (= 450 000 $ + 75 000 $ + 15 000 $), diminués de 250 000 $, soit le minimum de la valeur de revente (*VR* = 275 000 $) et du coût initial de la vieille machinerie (*C* = 250 000 $).
40 000 $ – *MIN*(275 000 $, 250 000 $) = 290 000 $

Étape 3 : déterminer les *FM* en fin de projet.

Vente de la nouvelle machinerie (voir b)	60 692 $
VAPEI pour la vente de la nouvelle machinerie (voir b)	– 16 066 $
VAN	
• *VAN*	198 978 $

Réponse : la compagnie devrait donc procéder aux changements prévus.

e) **Étape 1 :** déterminer le coût du projet.

Voir c) — 390 000 $

Étape 2 : déterminer les *FM* marginaux durant le projet.

VAFMGOP (voir a) 355 739 $

VAEIACC (voir c) 96 896 $

Étape 3 : déterminer les *FM* en fin de projet.

- *VA* de la vente de la nouvelle machinerie (voir b) 60 692 $
- *VA* de la vente de la vieille machinerie perdue (note 3) : $25\,000(1{,}14)^{-10}$ = – 6 744 $
- *VAPEIACC* évitée pour la vente de la vieille machinerie (voir notes 1 et 3) :

$$VAPEIEACC \text{ évitée} = \left[\frac{C \times d \times T}{k + d}\right](1 + k)^{-n}$$

$$VAPEIEACC \text{ évitée} = \left[\frac{9\,896 \times 0{,}2 \times 0{,}45}{0{,}14 + 0{,}2}\right](1{,}14)^{-10}$$

VAPEIEACC évitée = 707 $

- *VAIRA* évitée pour la vente de la vieille machinerie (voir note 1)

$$VAIRA \text{ évitée} = RA \times T \times (1 + i)^{-n}$$

$$VAIRA \text{ évitée} = 15\,104 \times 0{,}45 \times (1{,}14)^{-10}$$

VAIRA évitée = 1 833 $

- *VAPEIACC* pour la vente nouvelle machinerie (voir note 2)

$$VAPEIACC = \left[\frac{57\,006 \times 0{,}2 \times 0{,}45}{0{,}14 + 0{,}2}\right] \times (1{,}14)^{-10}$$

VAPEIACC = – 4 070 $

- *VARA* pour la vente de la nouvelle machinerie (voir note 2)

  VARA = $167\ 994 \times 0{,}45 \times (1{,}14)^{-10}$

  VARA = – 20 392 $

VAN

- *VAN* 94 661 $

Réponse : la compagnie devrait donc procéder aux changements prévus.

Note 1 :

Catégorie de 20 %

	250 000 $	25 000
	225 000	
	$(0{,}8)^{14}$	
FNACC	9 896	25 000 *VR*
		15 104 $ *RA*

Note 2 :

Catégorie de 20 %

	250 000 $	25 000	
	225 000		
	$(0{,}8)^{4}$		
	92 160		
(achat)	540 000	150 000	(vente)
	482 160	18 432	(amortissement sur 92 160 $ à 20 %)
		39 000	(règle de la demi-année appliquée à la variation nette de l'année)
	424 728		
	$(0{,}8)^{9}$		
FNACC	57 006	225 000 *VR*	
		167 994 $ *RA*	

Note 3 : L'impact de la vente des vieilles pièces d'équipement en début de projet plutôt qu'en fin de projet est pertinent à analyser. En vendant aujourd'hui, l'entreprise gagne 150 000 $, plutôt que 25 000 $ dans dix ans. Cette opération évite également une *VAPEIACC* et une *VAIRA*.

2.

a) **Étape 1 :** déterminer le coût du projet.

Fabrication du moule	– 325 000 $

Étape 2 : déterminer les *FM* durant le projet.

- *VAFMGOP*

$$VAFMGOP = 325\,000 - 150\,000 = 175\,000 \times 0{,}6$$

$$VAFMGOP = 105\,000\ \$$$

$$VAFMGOP = PMT\left[\frac{1-(1+i)^{-n}}{i}\right]$$

$$VAFMGOP = 105\,000\left[\frac{1-(1{,}15)^{-5}}{0{,}15}\right]$$

$$VAFMGOP = 351\,976\ \$$$

- *VAEIACC*

$$VAEIACC = \left[\frac{C \times d \times T}{k+d}\right]\left[\frac{1+0{,}5k}{1+k}\right]$$

$$VAEIACC = \left[\frac{325\,000 \times 0{,}35 \times 0{,}4}{0{,}15+0{,}35}\right]\left[\frac{1{,}075}{1{,}15}\right]$$

$$VAEIACC = 85\,065\ \$$$

Étape 3 : déterminer les *FM* en fin de projet.

Aucun flux monétaire additionnel

	0 $
VAN	
•*VAN*	112 041 $

Réponse : l'entreprise devrait donc réaliser le projet.

b) **Étape 1 :** déterminer le coût du projet.

Voir a) – 325 000 $

Étape 2 : déterminer les *FM* durant le projet.

VAFMGOP (voir a) 351 976 $

VAEIACC (voir a) 85 065 $

Étape 3 : déterminer les *FM* en fin de projet.

- *VAPEIACC* (voir note 1)

$$VAPEIACC = \frac{47\,862 \times 0{,}35 \times 0{,}4}{0{,}15 \times 0{,}35} \times (1{,}15)^{-5}$$

VAPEIACC = – 6 663 $

- *VAEIPT* (voir note 1)

$$VAEIPT = PT \times T \times (1 + k)^{-n}$$

$$VAEIPT = 47\,862 \times 0{,}4 \times (1{,}15)^{-5}$$

VAEIPT = 9 518 $ 9 518 $

VAN

- *VAN* 114 896 $

Réponse : l'entreprise devrait donc réaliser le projet.

Note 1 :

Catégorie de 35 %

325 000 $	56 875 (règle de la demi-année)
268 125 $(0{,}65)^4$	
FNACC 47 862	0 *VR*
PT 47 862 $	

Il y a fermeture de classe et la valeur résiduelle (*VR*) est nulle.

c) **Étape 1 :** déterminer le coût du projet.

Voir a) – 325 000 $

Étape 2 : déterminer les *FM* durant le projet.

- *VAFMGOP*

$$VAFMGOP = PMT\left[\frac{1-(1+i)^{-n}}{i}\right]$$

$$VAFMGOP = 105\,000\left[\frac{1-(1{,}15)^{-8}}{0{,}15}\right]$$

VAFMGOP = 471 169 $

- *VAEIACC* (achat) (voir a) 85 065 $
- *VA* de la réfection

$200\,000\,(1{,}15)^{-3}$ = – 131 503 $

- *VAEIACC* (réfection)

$$VAEIACC = \left[\frac{C \times d \times T}{k+d}\right]\left[\frac{1+0{,}5k}{1+k}\right](1+k)^{-3}$$

$$VAEIACC = \left[\frac{200\,000 \times 0{,}35 \times 0{,}40}{0{,}15+0{,}35}\right]\left[\frac{1{,}075}{1{,}15}\right](1{,}15)^{-3}$$

VAEIACC = 34 420 $

Étape 3 : déterminer les *FM* en fin de projet.

- *VAPEIACC* (voir note 2)

$$VAPEIACC = \frac{42\,598 \times 0{,}35 \times 0{,}4}{0{,}15+0{,}35} \times (1{,}15)^{-8}$$

VAPEIACC = – 3 899 $

- *VAEIPT*

$VAEIPT = PT \times T \times (1+k)^{-n}$ (voir note 2)

$VAEIPT = 42\,598 \times 0{,}4 \times (1{,}15)^{-8}$

VAEIPT = 5 570 $

VAN

- *VAN* 135 822 $

Réponse : l'entreprise devrait donc réaliser le projet.

Note 2 :

Catégorie de 35 %

325 000 $	56 875	(règle de la demi-année)
268 125 $(0{,}65)^2$		
113 283	39 649	
200 000	35 000	(règle de la demi-année)
238 634 $(0{,}65)^4$		
FNACC 42 598	0 *VR*	
PT 42 598 $		

Il y a fermeture de classe et la valeur résiduelle (*VR*) est nulle.

d) **Étape 1 :** déterminer le coût du projet.

Voir a) – 325 000 $

Étape 2 : déterminer les *FM* durant le projet.

VAFMGOP (voir c) 471 169 $

VAEIACC (voir a) 85 065 $

VA de la réfection après impôts :
$200\,000 \times 0{,}6 = 120\,000(1{,}15)^{-3}$ = – 78 902 $

Étape 3 : déterminer les *FM* en fin de projet.

Aucun flux monétaire additionnel 0 $

VAN

- *VAN* 152 332 $

Réponse : l'entreprise devrait donc réaliser le projet.

3.

a) **Étape 1 :** déterminer le coût du projet.

Construction d'une nouvelle serre — 775 000 $

Étape 2 : déterminer les *FM* marginaux durant le projet.

- *FMGOP*
  - Économie marginale par rose, après impôts
    0,78 – 0,28 = 0,50, × (1 – 0,35) = 0,325 $
  - Volume annuel 250 000
  - Économie totale 81 250 $
- *VAFMGOP*

$$VAFMGOP = PMT\left[\frac{1-(1+i)^{-n}}{i}\right]$$

$$VAFMGOP = 81\,250\left[\frac{1-(1{,}15)^{-8}}{0{,}15}\right]$$

VAFMGOP = 364 595 $

- *VAEIACC*

$$VAEIACC = \left[\frac{C \times d \times T}{k+d}\right]\left[\frac{1+0{,}5k}{1+k}\right]$$

$$VAEIACC = \left[\frac{775\,000 \times 0{,}25 \times 0{,}35}{0{,}15+0{,}25}\right]\left[\frac{1{,}075}{1{,}15}\right]$$

VAEIACC = 158 475 $

- *VA* de la réfection évitée

$375\,000\,(1{,}15)^{-3}$ = 246 569 $

- *VAEIACC* perdue pour la réfection

$$VAEIACC\text{ perdue} = \frac{C \times d \times T}{k+d} \times \left[\frac{1+0{,}5k}{1+k}\right] \times (1+k)^{-3}$$

$$VAEIACC\text{ perdue} = \frac{375\,000 \times 0{,}25 \times 0{,}35}{0{,}15+0{,}25} \times \left[\frac{1{,}075}{1{,}15}\right] \times (1{,}15)^{-3}$$

VAEIACC perdue = – 50 419 $

Étape 3 : déterminer les *FM* en fin de projet.

Aucun flux monétaire additionnel	0 $
VAN	
• *VAN*	– 55 780 $

Note : La réalisation du projet permet d'éviter la réfection des serres existantes. Il s'agit là d'une économie, donc de l'équivalent d'un flux monétaire positif. Par contre, sont perdues les *EIACC* liées à la dépense (capitalisable) de réfection, impliquant un flux négatif.

Réponse : le pépiniériste ne devrait donc pas réaliser le projet.

b) Manque à gagner : 55 780 $

$$55\,780 = PMT\left[\frac{1-(1+k)^{-n}}{k}\right]$$

$$55\,780 = PMT\left[\frac{1-(1,15)^{-8}}{0,15}\right]$$

$$PMT = 12\,431\ \$$$

$$\textit{volume additionnel nécessaire} = \frac{12\,431}{0,325}$$

$$= 38\,249 \text{ roses}$$

niveau de production
annuelle minimal = production prévue + production additionnelle nécessaire

= 250 000 + 38 249

= 288 249 roses par année

c) **Étape 1 :** déterminer le coût du projet.

Voir a)	– 775 000 $

Étape 2 : déterminer les *FM* marginaux durant le projet.

• *VAFMGOP*(voir a)	364 595 $
• *VAEIACC* (voir a)	158 475 $
• *VA* de la réfection évitée, après impôts : 375 000 × 0,65 = 243 750 $(1,15)^{-3}$ =	160 270 $

Étape 3 : déterminer les *FM* en fin de projet.

Aucun flux monétaire additionnel	0 $
VAN	
• *VAN*	– 91 660 $

Note : La réfection évitée amène l'équivalent d'un flux monétaire positif puisqu'elle permet d'éviter une sortie de fonds de 370 000 $. Cependant, parce que cette sortie de fonds évitée est déductible du revenu imposable, il faut l'évaluer après impôts. On parle alors d'une somme de 375 000 $ × (1 – 0,35) = 243 750 $, ou de 160 270 $ en valeur actuelle.

Réponse : il ne serait donc pas avantageux de réaliser le projet.

d)

i) *Si la réfection est non capitalisable*

Étape 1 : déterminer le coût du projet.

Voir a)	– 775 000 $

Étape 2 : déterminer les *FM* marginaux durant le projet.

VAFMGOP(voir a)	364 595 $
VAEIACC (voir a)	158 475 $
VA de la réfection évitée, après impôts (voir c)	160 270 $

Étape 3 : déterminer les *FM* en fin de projet.

- *VAPEIACC* (voir note 1)

$$VAPEIACC = \frac{110\,541 \times 0{,}25 \times 0{,}35}{0{,}15 + 0{,}25} \times (1{,}15)^{-8}$$

VAPEIACC = – 7 905 $

- *VAEIPT* (voir note 1)

$$VAEIPT = 110\,541 \times 0{,}35 = 38\,689\,(1{,}15)^{-8}$$

VAEIPT = 12 648 $

VAN

- *VAN* – 86 917 $

Réponse : le pépiniériste ne devrait donc pas réaliser le projet.

Note 1 :

Catégorie de 25 %

200 000 $	50 000
775 000	96 875
828 125	
$(0{,}75)^7$	
FNACC 110 541	0 *VR*
PT 110 541 $	

(règle de la demi-année)

ii) *Si la réfection est capitalisable*

Étape 1 : déterminer le coût du projet.

Voir a) – 775 000 $

Étape 2 : déterminer les *FM* marginaux durant le projet.

VAFMGOP (voir a)	364 595 $
VAEIACC (voir a)	158 475 $
VA de la réfection évitée (voir a)	246 569 $
VAEIACC perdue pour la réfection évitée	– 50 419 $

Étape 3 : déterminer les *FM* en fin de projet.

- *VAPEIACC* (note 1) (voir d) i) – 7 905 $
- *VAEIPT* (note 1) (voir d) i) 12 648 $
- *VAPEIACC* évitée (voir note 2)

$$VAPEIACC \text{ évitée} = \frac{123\,843 \times 0{,}25 \times 0{,}35}{0{,}15 + 0{,}25} \times (1{,}15)^{-8}$$

VAPEIACC évitée = 8 856 $

- *VAEIPT* perdue

  VAEIPT perdue = $123\,843 \times 0{,}35 \times (1{,}15)^{-8}$

  VAEIPT perdue = – 14 170 $

VAN

  VAN = – 56 351 $

Réponse : le pépiniériste ne devrait donc pas réaliser le projet.

Note 2 :

Sans projet **Catégorie de 25 %**		
200 000 $		
$(0{,}75)^3$		
84 375	21 094	
375 000	46 875	(règle de la demi-année)
391 406		
$(0{,}75)^4$		
FNACC 123 843	0 *VR*	
PT 123 843 $		

Il y a fermeture de classe et la valeur résiduelle (*VR*) est nulle.

4.

a) *Cycle d'un an*

Achat au temps 0	– 3,5 M $
Valeur de revente : 3 M$$(1,13)^{-1}$	2,655 M $
Frais d'entretien : 550 000$(1,13)^{-1}$	– 0,487 M $
	(1,332) M $

Cycle de deux ans

Achat au temps 0		– 3,5 M $
Valeur de revente :	2,6 M $(1,13)^{-2}$	2,036 M $
Frais d'entretien :	550 000$(1,13)^{-1}$	– 0,487 M $
	600 000$(1,13)^{-2}$	– 0,470 M $
		– 2,420 M $

Temps d'utilisation (en années)	**Coûts en** (millions $)
1	1,332
2	2,420
3	3,313
4	4,109
5	4,780
6	5,389
7	5,928
8	6,439
9	6,919
10	7,374

b) $FMAE = VA\ des\ coûts \left[\frac{k}{1-(1+k)^{-n}}\right]$

- *FMAE* (cycle d'un an)

$FMAE = 1{,}332\ \text{M}\ \$ \left[\frac{0{,}13}{1-(1{,}13)^{-1}}\right]$

$FMAE = \underline{\underline{1{,}505\ \text{M}}}\ \$$

- *FMAE* (cycle de deux ans)

$FMAE = 2{,}420\ \text{M}\ \$ \left[\frac{0{,}13}{1-(1{,}13)^{-2}}\right]$

$FMAE = \underline{\underline{1{,}451\ \text{M}}}\ \$$

Cycle	*FMAE*
	1 1,505
	2 1,451
	3 1,403
	4 1,381
	5 1,359
	6 1,348
	7 1,340
	8 1,342
	9 1,348
	10 1,359

Réponse : les coûts sont moins élevés après le cycle 7, donc suivant un cycle de sept ans.

5. $(1 + \textit{taux nominal}) = (1 + \textit{taux réel})\,(1 + \textit{taux d'inflation})$

$(1 + 0{,}1025) = (1 + \textit{taux réel})\,(1 + 0{,}05)$

$\left[\frac{1{,}1025}{1{,}05}\right] - 1 = \textit{taux réel}$

$\textit{taux réel} = \underline{\underline{5\ \%}}$

1re méthode : en utilisant un taux d'actualisation réel et des flux monétaires réels

Investissement initial : 6 000 000 $

$FM = 2\,625\,000(1{,}05)^{-1} + 11\,025\,000(1{,}05)^{-2}$

$FM = 12\,500\,000$

$VAN = 12\,500\,000 - 6\,000\,000$

$VAN = \underline{\underline{6\,500\,000}}$ $

2e méthode : en utilisant un taux d'actualisation nominal et des flux monétaires nominaux

Investissement initial : 6 000 000 $

$FM\,1 = 2\,625\,000(1{,}05)$

$FM\,1 = 2\,756\,250$

$FM\,2 = 11\,025\,000(1{,}05)^2$

$FM\,2 = 12\,155\,062$

$VAFM = 2\,756\,250(1{,}1025)^{-1} + 12\,155\,062(1{,}1025)^{-2}$

$VAFM = 12\,500\,000$

$VAN = 12\,500\,000 - 6\,000\,000$

$VAN = \underline{\underline{6\,500\,000}}$ $

Chapitre 11

Introduction à l'incertitude

Les questions

1. Pourquoi est-il important de tenir compte de l'incertitude lorsqu'une entreprise doit prendre une décision d'investissement?

2. Décrivez les différentes façons d'ajuster la *VAN* d'un projet au risque.

3. Expliquez en quoi consiste l'analyse de sensibilité.

Les problèmes

1. La compagnie Delta inc. veut acquérir un brevet qui lui permettra de fabriquer sous licence un nouveau produit. Le coût du brevet est de 50 000 $. Actuellement, le taux sans risque sur le marché est de 8 %. Le coût de capital de l'entreprise est présentement de 11 % et, compte tenu du risque rattaché au présent projet, le taux d'actualisation ajusté de ce dernier est de 13 %. En tant que vice-président aux finances, vous devez déterminer s'il serait approprié d'acquérir ce brevet selon les données qui suivent.

Les coefficients d'équivalence de certitude sont les suivants :

Année	α_t
0	1,00
1	0,93
2	0,89
3	0,85
4	0,70

Les flux monétaires espérés sont les suivants :

Année	FME_t ($)
0	(50 000)
1	20 000
2	25 000
3	31 000
4	38 000

a) Calculez la valeur actuelle nette de ce projet si on utilise la méthode de l'équivalent certain.

b) Calculez la valeur actuelle nette de ce projet si on utilise la méthode du taux d'actualisation ajusté.

c) Calculez les valeurs des coefficients d'équivalence de certitude pour que les deux méthodes donnent la même valeur actuelle nette.

d) Si le projet n'a qu'une durée de vie de trois ans, est-il profitable pour l'entreprise d'acquérir le brevet?

2. Une entreprise envisage la possibilité d'investir 75 000 $ pour l'acquisition d'une nouvelle pièce d'équipement. Les économies d'exploitation prévues (après impôts) pour les cinq prochaines années se détaillent comme suit :

Année	**Économies d'exploitation prévues ($)**
1	27 000
2	29 000
3	33 000
4	40 000
5	12 000

Selon le contrôleur, le taux d'actualisation ajusté pour tenir compte du risque du projet est de 13 %. De plus, ce dernier a établi les coefficients d'équivalence de certitude suivants :

Année	α_t
1	1,05
2	1,11
3	1,17
4	1,22
5	1,30

a) Sachant que le taux sans risque est de 8 %, effectuez l'analyse de ce projet selon la technique du taux d'actualisation ajusté et selon la méthode de l'équivalent certain.

b) Sachant que le coût du capital de l'entreprise est de 11 %, déterminez les valeurs des coefficients d'équivalence de certitude afin que les deux méthodes soient cohérentes.

c) Était-il nécessaire d'effectuer les calculs de a) et de b) pour constater une anomalie dans les coefficients d'équivalence de certitude présentés par le contrôleur?

3. La compagnie Epsilon inc. veut lancer sur le marché une nouvelle cigarette moins nocive pour la santé. Elle a réalisé à cet effet une étude de marché afin d'analyser la rentabilité d'un tel projet. Trois scénarios ont été établis quant aux projections possibles. Le coût du projet est de 23 000 000 $, comprenant une campagne publicitaire nationale de 7 000 000 $. Le reste de l'investissement pourra être amorti à un taux de 30 % sur le solde dégressif. La viabilité du projet devra être étudiée sur une période de cinq ans. Le taux d'imposition marginal de Epsilon inc. est de 47 % et le taux d'actualisation d'un tel projet est de 14 %. Si le projet est abandonné à la fin de la cinquième année, la valeur résiduelle des actifs sera nulle, mais n'entraînera pas de fermeture de classe. Voici les scénarios envisagés :

	SCÉNARIOS		
Variables	**Pessimiste**	**Réaliste**	**Optimiste**
Taille du marché (unités)	12 000 000	20 000 000	35 000 000
Prix unitaire ($)	4,25	4,75	5,25
Frais variables/unité ($)	3,50	3,75	4,00
Frais fixes nécessitant des sorties de fonds ($)	4 000 000	7 000 000	12 000 000

a) Calculez pour chacun des scénarios la valeur actuelle nette du projet.

b) Dans le cas du scénario réaliste, effectuez une analyse de sensibilité de 1 % pour chacune des variables mentionnées ci-dessus et classez ces dernières par ordre de sensibilité.

Les réponses

1. Parce qu'une décision d'investissement conduit à plusieurs résultats possibles et qu'il arrive qu'on ne puisse évaluer la probabilité associée à chacun de ces résultats. L'entreprise se trouve donc dans un contexte d'incertitude, et ignorer l'incertitude peut mener à des décisions néfastes pour l'entreprise.

2.
- Il est possible d'ajuster les flux monétaires du projet qui entrent dans le calcul de la *VAN*. En effet, plus la durée de vie d'un projet est longue, plus ce projet comporte de l'incertitude et du risque. Le risque lié aux flux monétaires s'accroît avec l'éloignement de l'échéance, ce qui veut dire que les flux monétaires les plus éloignés sur l'horizon de vie d'un projet sont aussi les plus risqués. Réduire la durée de vie d'un projet en amputant les flux monétaires les plus éloignés permet de tenir compte du risque dans le calcul de la *VAN*.
- Une deuxième façon d'ajuster la *VAN* au risque est l'application du principe de l'équivalent certain qui consiste à déterminer le flux monétaire certain que l'investisseur est prêt à recevoir à la place d'un flux monétaire incertain. Il s'agit ici d'établir les flux monétaires attendus et de les pondérer ensuite avec les coefficients d'équivalence de certitude.
- Une autre possibilité consiste à actualiser les flux monétaires espérés avec un taux d'actualisation ajusté au risque (TAAR). Il s'agit d'une manière indirecte d'ajuster la *VAN*, par le biais du taux d'actualisation. Cette méthode repose sur le postulat qu'un individu exigera un taux de rendement plus élevé sur les investissements qu'il juge plus risqués ou plus incertains.

3. L'analyse de sensibilité est une méthode de traitement du risque qui permet d'identifier les facteurs qui ont un impact sur la *VAN* d'un projet et de favoriser ainsi une meilleure prise de décision de la part d'un investisseur. La procédure se base sur l'étude de la réaction de la *VAN* d'un projet à la suite d'un changement dans une variable donnée. L'investisseur établit trois scénarios possibles : un scénario pessimiste ou conservateur, un scénario réaliste en supposant que la situation actuelle est réaliste et un scénario optimiste. Ces scénarios sont obtenus en imposant aux variables dont il cherche à mesurer l'impact sur la *VAN* des changements de nature pessimiste, réaliste et optimiste. Pour chacun des scénarios obtenus, il établit la *VAN*. Il peut ainsi assurer un suivi constant et prendre les moyens qui s'imposent lorsque cela devient nécessaire.

Les solutions

1.

a) $$VAN_{(A)} = \sum_{t=1}^{n} \frac{FME_t \times \alpha_t}{(1 + r_F)^t} - C$$

$$VAN_{(A)} = (0{,}93)\,(20\,000)\,(1{,}08)^{-1} + (0{,}89)\,(25\,000)\,(1{,}08)^{-2} + (0{,}85)\,(31\,000)\,(1{,}08)^{-3} + (0{,}70)\,(38\,000)\,(1{,}08)^{-4} - 50\,000$$

$$VAN_{(A)} = 17\,222 + 19\,076 + 20\,918 + 19\,552 - 50\,000$$

$$= \underline{\underline{26\,768}}\ \$$$

b) $$VAN_{(A)} = \sum_{t=1}^{n} \frac{FME_t}{(1 + r_A)^t} - C$$

$$VAN_{(A)} = 20\,000\,(1{,}13)^{-1} + 25\,000\,(1{,}13)^{-2} + 31\,000\,(1{,}13)^{-3} + 38\,000\,(1{,}13)^{-4} - 50\,000$$

$$= \underline{\underline{32\,068}}\ \$$$

c) $$\alpha_t = \left[\frac{(1 + r_F)}{(1 + r_A)}\right]^t$$

$$\alpha_1 = \left[\frac{(1{,}08)}{(1{,}13)}\right]^1 = 0{,}956$$

$$\alpha_2 = \left[\frac{(1{,}08)}{(1{,}13)}\right]^2 = 0{,}913$$

$$\alpha_3 = \left[\frac{(1{,}08)}{(1{,}13)}\right]^3 = 0{,}873$$

$$\alpha_4 = \left[\frac{(1{,}08)}{(1{,}13)}\right]^4 = 0{,}834$$

$$VAN_{(A)} = \sum_{t=1}^{n} \frac{FME_t \times \alpha_t}{(1+r_F)^t} - C$$

$$VAN_{(A)} = (0{,}956)\ (20\ 000)\ (1{,}08)^{-1} + (0{,}913)\ (25\ 000)\ (1{,}08)^{-2} + (0{,}873)\ (31\ 000)\ (1{,}08)^{-3} + (0{,}834)\ (38\ 000)\ (1{,}08)^{-4} - 50\ 000$$

$$= \underline{\underline{32\ 050}}\ \$^*$$

* La différence entre le résultat de b), 32 068 $, et celui de c), 32 050 $, provient des arrondissements à trois décimales des coefficients d'équivalence de certitude.

d) $$VAN_{(A)} = \sum_{t=1}^{n-a} \frac{FME_t}{(1+r_A)^t} - C$$

$$VAN_{(A)} = 20\ 000(1{,}13)^{-1} + 25\ 000(1{,}13)^{-2} + 31\ 000(1{,}13)^{-3} - 50\ 000$$

$$= \underline{\underline{8\ 762}}\ \$$$

Réponse : oui, car la *VAN* est positive.

2.

a) *Selon la technique du taux d'actualisation ajusté*

$$VAN_{(A)} = \sum_{t=1}^{n} \frac{FME_t}{(1+r_A)^t} - C$$

$$= 27\,000\,(1{,}13)^{-1} + 29\,000\,(1{,}13)^{-2} + 33\,000\,(1{,}13)^{-3} + 40\,000\,(1{,}13)^{-4} + 12\,000\,(1{,}13)^{-5} - 75\,000$$

$$= \underline{\underline{25\,522\ \$}}$$

Selon la méthode de l'équivalent certain

$$VAN_{(A)} = (1{,}05)\,(27\,000)\,(1{,}08)^{-1} + (1{,}11)\,(29\,000)\,(1{,}08)^{-2} + (1{,}17)\,(33\,000)\,(1{,}08)^{-3} + (1{,}22)\,(40\,000)\,(1{,}08)^{-4} + (1{,}30)\,(12\,000)\,(1{,}08)^{-5} - 75\,000$$

$$= \underline{\underline{55\,984\ \$}}$$

b) $$\alpha_t = \left[\frac{(1+r_F)}{(1+r_A)}\right]^t$$

$$\alpha_1 = \left[\frac{(1{,}08)}{(1{,}13)}\right]^1 = 0{,}95575$$

$$\alpha_2 = \left[\frac{(1{,}08)}{(1{,}13)}\right]^2 = 0{,}91346$$

$$\alpha_3 = \left[\frac{(1{,}08)}{(1{,}13)}\right]^3 = 0{,}87304$$

$$\alpha_4 = \left[\frac{(1{,}08)}{(1{,}13)}\right]^4 = 0{,}83441$$

$$\alpha_5 = \left[\frac{(1{,}08)}{(1{,}13)}\right]^5 = 0{,}79749$$

c) Non, puisqu'il est tout à fait illogique d'avoir un coefficient supérieur à 1 et augmentant à mesure que l'on s'éloigne dans le temps, compte tenu de l'incertitude croissante des *FM* à venir.

3.

a) **Étape 1 :** déterminer le coût du projet.

Dépense capitalisable :	16 000 000 $	
Dépense non capitalisable :		
7 000 000 × 0,53 =	3 710 000	
	19 710 000 $	19 710 000 $

Étape 2 : déterminer la *VAEIACC*.

- *VAEIACC* = $\left[\frac{C \times d \times T}{k+d}\right]\left[\frac{1+0,5k}{1+k}\right]$
- *VAEIACC* = $\left[\frac{16\,000\,000 \times 0,3 \times 0,47}{0,14+0,3}\right]\left[\frac{1+0,5(0,14)}{1,14}\right]$
- *VAEIACC* = 5 127 273 × 0,9386
- *VAEIACC* = 4 812 440 $

Coût net du projet (coût - *VAEIACC*) 14 897 560 $

Étape 3 : déterminer la *VAN* selon les trois scénarios.

- Scénario pessimiste

Coût net du projet		– 14 897 560 $
Bénéfice brut 12 M unités × (4,25 $ – 3,50 $)	9 000 000 $	
Frais fixes	4 000 000	
	5 000 000 $	
Impôts (47 %)	× 0,53	
FM d'exploitation	2 650 000 $	

VAFM d'exploitation = $2\,650\,000\left[\frac{1-(1+i)^{-n}}{i}\right]$

VAFM d'exploitation = $2\,650\,000\left[\frac{1-(1+0,14)^{-5}}{0,14}\right]$

VAFM d'exploitation = 9 097 665 $

VAN (scénario pessimiste) – 5 799 895 $

- Scénario réaliste

Coût net du projet			– 14 897 560 $
Frais variables			
Bénifice brut			
20 M unités × (4,75 – 3,75)	=	20 000 000 $	
Frais fixes		7 000 000	
		13 000 000 $	
Impôts (47 %)		× 0,53	
FM d'exploitation		6 890 000 $	
VAFM d'exploitation	=	6 890 000	$\left[\frac{1-(1+0{,}14)^{-5}}{0{,}14}\right]$
VAFM d'exploitation			= 23 653 928 $
VAN (scénario réaliste)			8 756 368 $

- Scénario optimiste

			– 14 897 560 $
Coût net du projet			
Bénifice brut 35 M unités × (5,25 – 4,00)=43 750 000$			
Frais fixes		12 000 000	
		31 750 000 $	
Impôts (47 %)		× 0,53	
FM d'exploitation		16 827 500 $	
VAFM d'exploitation	=	16 827 500	$\left[\frac{1-(1+0{,}14)^{-5}}{0{,}14}\right]$
VAFM d'exploitation			= 57 770 170 $
VAN (scénario optimiste)			42 872 610 $

b) L'analyse de sensibilité implique la modification d'une seule variable, et l'examen de l'impact de cette modification sur la *VAN* du projet, en gardant toutes les autres variables constantes.

Par rapport à la situation du scénario réaliste, les valeurs des différentes variables, diminuées ou augmentées de 1 %, sont les suivantes :

	SCÉNARIO		
Variables	**Réaliste – 1 %**	**Réaliste**	**Réaliste + 1 %**
Taille du marché (unités)	19 801 980	20 000 000	20 200 000
Prix unitaire ($)	4,70	4,75	4,80
Frais variables/unité ($)	3,71	3,75	3,79
Frais fixes nécessitant des sorties de fonds	6 930 693	7 000 000	7 070 000

En utilisant un tableur Lotus ou Excel, on obtient les valeurs suivantes pour la *VAN* du projet :

	SCÉNARIO				
Variables	**Réaliste – 1 %**		**Réaliste**	**Réaliste + 1 %**	
	Variation	*VAN*	*VAN*	*VAN*	Variation
Taille du marché (unités)	–4,1 %	8 396 064	8 756 368	9 120 274	4,2 %
Prix unitaire ($)	–20,8 %	6 936 835	8 756 368	10 575 901	20,8 %
Frais variables/unité ($)	16,6 %	10 211 994	8 756 368	7 300 742	–16,6 %
Frais fixes nécessitant des sorties de fonds	1,4 %	8 882 474	8 756 368	8 629 001	–1,5 %

Par exemple, en diminuant la taille du marché de 1 %, et en conservant les autres variables constantes, la *VAN* du projet passe de 8 756 368 $ à 8 396 064 $, une diminution de 4,1 %. Si les frais variables unitaires augmentent de 1 %, alors la *VAN* passe de 8 756 368 $ à 7 300 742 $, une diminution de 16,6 %.

L'analyse de sensibilité permet donc d'affirmer que les variables exerçant une influence sur la rentabilité du projet sont, de la moins à la plus importante, les frais fixes nécessitant des sorties de fonds, la taille du marché, les frais variables unitaires et le prix de vente unitaire.

Chapitre 12

Le budget de caisse

Les questions

1. Expliquez pourquoi l'encaisse est détenue par les entreprises.
2. Qu'est-ce qu'un budget de caisse?
3. À quoi sert le budget de caisse?
4. Comment établit-on un budget de caisse?
5. À quoi correspondent les entrées de fonds d'une entreprise?
6. Quels sont les moyens de contrôler les retards dans les délais d'encaissement?
7. À quoi correspondent les sorties de fonds d'une entreprise?
8. Identifiez les trois sources de financement à court terme qui peuvent répondre aux besoins de fonds d'une entreprise.

Les problèmes

1. Sur la base des informations présentées ci-dessous, vous devez préparer un budget de caisse pour la société Le petit Robert couvrant les mois d'août, septembre et octobre.

En ce qui concerne les entrées de fonds, 50 % des ventes sont habituellement payées comptant, 25 % sont réglées dans le mois qui suit la transaction et le reste le mois suivant (les mauvaises créances sont négligeables). Les ventes observées récemment et celles qui sont prévues pour les prochains mois sont données dans les tableaux 12-A et 12-B.

TABLEAU 12-A
Ventes observées

	Avril	Mai	Juin	Juillet
Ventes	200 000 $	200 000 $	240 000 $	240 000 $

TABLEAU 12-B
Ventes prévues

	Août	Septembre	Octobre	Novembre
Ventes	280 000 $	320 000 $	400 000 $	400 000 $

En ce qui concerne maintenant les sorties de fonds, le coût des achats représente 70 % des ventes et l'on règle ordinairement 90 % de la dépense un mois après la transaction puis 10 % le second mois. De plus, les frais de vente sont de 40 000 $ par mois, plus 10 % des ventes mensuelles. Ces frais de vente sont réglés dans le mois. Également, on prévoit verser des intérêts de 36 000 $ en octobre, ainsi que 200 000 $ pour le remboursement de la dette, 40 000 $ de dividendes et 4 000 $ d'impôts. On prévoit aussi immobiliser 160 000 $ en machinerie au mois de septembre.

Par ailleurs, l'encaisse s'élevait à 80 000 $ au 31 juillet, soit le niveau cible (ou minimal) fixé par la société.

2. Quelles seraient les modifications à apporter au budget de caisse de la société Le petit Robert (voir le problème 1 ci-dessus) si l'on vous informait que l'amortissement mensuel des installations est de 60 000 $ en août, 56 000 $ en septembre et de 50 000 $ en octobre?

Les réponses

1. L'encaisse est détenue pour les trois raisons principales suivantes :

- L'encaisse représente un instrument de transaction et un moyen de paiement pour les sorties de fonds régulières. L'encaisse est donc détenue pour des fins de transaction.
- L'encaisse est aussi détenue par précaution contre les dépenses imprévues. En d'autres mots, l'encaisse constitue une réserve de valeur et une épargne pour faire face aux sorties de fonds irrégulières.
- L'encaisse est finalement nécessaire pour *des fins de spéculation*. En effet, il peut se présenter des occasions inattendues dont il faut profiter, telle la diminution du coût des matières premières, par exemple.

2. Une des tâches les plus importantes du gestionnaire consiste à prévoir les flux monétaires d'une entreprise par l'estimation des *entrées de fonds* (c.-à-d. les ventes et les recettes générées par l'entreprise) et des *sorties de fonds* (c.-à-d. les achats de l'entreprise et les divers frais de production et d'exploitation à assumer) à venir. Une fois les flux monétaires futurs déterminés, le gestionnaire est en mesure de déterminer la situation de l'entreprise en ce qui a trait à ses besoins de fonds et de prendre les décisions qui s'imposent. L'outil de base pour évaluer une telle situation est appelé *budget de caisse* et regroupe les entrées et sorties de fonds prévues.

3. Le budget de caisse a deux objectifs principaux :

- évaluer les *besoins de fonds* de l'entreprise durant une période donnée (si les sorties de fonds sont supérieures aux entrées de fonds) ou les *surplus de fonds* qu'elle est susceptible de réaliser (si les sorties de fonds sont inférieures aux entrées de fonds);
- fixer un point de repère qui permettra de mesurer la performance future de l'entreprise. En effet, les prévisions des flux monétaires peuvent être comparées aux flux monétaires effectivement réalisés afin de déterminer si les réalisations sont à la hauteur des prévisions. Si ce n'est pas le cas, le gestionnaire devra chercher les moyens pour améliorer la situation.

4. L'élaboration d'un budget de caisse se fait généralement en quatre étapes :

- Il faut d'abord établir la *prévision des ventes à venir*. Ces prévisions sont importantes et constituent la base sur laquelle l'entreprise ajuste ses plans de production.
- On doit ensuite faire la *prévision des recettes* : en effet, les recettes générées durant une période donnée ne correspondent pas nécessairement aux ventes réalisées puisque certaines ventes ne se font pas au comptant. Dans ce cas, il faut tenir compte des ventes à crédit. De même, on doit considérer toute autre entrée de fonds dont bénéficie l'entreprise, comme les emprunts qu'elle contracte, les revenus de placement qu'elle fait ou les produits de la vente d'actifs qu'elle réalise.
- Il faut ensuite faire la *prévision des sorties de fonds* : les sorties de fonds sont généralement reliées aux divers frais que l'entreprise doit assumer pour ses activités d'exploitation, en plus de toute autre sortie de fonds, comme le remboursement des emprunts, le paiement des impôts et des dividendes, etc.
- Il s'agit finalement d'établir la différence entre les *EFP* et les *SFP* afin de déterminer ce qu'on appelle le *flux monétaire net (FMN)*, qui permet de montrer si l'entreprise réalisera un surplus de financement, soit le cas où le *FMN* est positif (quand les entrées sont supérieures aux sorties de fonds), ou un besoin de financement, soit le cas où le *FMN* est négatif (quand les entrées sont inférieures aux sorties de fonds).

5. Les principales entrées de fonds d'une entreprise sont généralement constituées des recettes des ventes réalisées. Afin de gérer ses opérations de la manière la plus efficace possible, l'entreprise doit établir des estimations de ses ventes et, par conséquent, de ses recettes à court ou à moyen terme. La prévision des ventes concerne en premier lieu les comptes clients puisque la majeure partie des ventes se fait généralement à crédit.

6. Dans une gestion efficace de l'encaisse, on doit accélérer les entrées de fonds. Pour ce faire, il faut minimiser le délai d'encaissement, c'est-à-dire le délai qui sépare le moment où l'entreprise effectue la vente de celui où elle reçoit le paiement. Afin de contrôler les retards dans le délai d'encaissement, le gestionnaire peut intervenir dans les délais suivants :

- *Le délai de facturation* : le gestionnaire peut faire parvenir la facture aux clients le plus rapidement possible de manière à ce qu'ils soient tenus de la payer aussitôt que possible. Un système de facturation efficace est donc essentiel à cette fin.
- *Le délai de paiement accordé aux clients* : ce délai dépend des conditions de crédit offertes par l'entreprise à ses clients. Pour faire en sorte que ces derniers respectent les échéances et paient le plus rapidement possible, l'entreprise peut offrir un escompte pour les paiements les plus rapides, ce qui constitue une incitation pour les clients à payer le plus tôt possible. Il faut cependant noter qu'il est difficile de modifier de façon importante les délais de paiement lorsqu'il existe une forme de consensus informel à l'intérieur d'un secteur d'activité donné. Par exemple, il serait illusoire de vouloir réduire le délai de paiement qui se pratique dans le secteur des textiles à celui qui a cours dans le secteur de l'alimentation. En effet, comme les stocks, dans le secteur de l'alimentation, sont de nature périssable, le délai de paiement est généralement d'une semaine alors qu'il peut facilement aller jusqu'à un mois dans le domaine du textile.
- *Le délai postal* : afin de minimiser le délai postal, soit le délai entre le moment où le client poste son paiement et celui où l'entreprise le reçoit, l'entreprise peut utiliser un système de centralisation en collaboration avec sa banque, de manière à ce que les clients paient leurs factures auprès de l'institution financière elle-même ou au moyen de prélèvements automatiques, au lieu d'envoyer leur paiement par courrier postal.
- *Le délai d'encaissement :* ce délai correspond au temps qui sépare le moment où l'entreprise reçoit le paiement de celui où son compte de banque est crédité. Les prélèvements automatiques constituent un moyen efficace de minimiser ce délai.

7. Les sorties de fonds d'une entreprise correspondent à l'utilisation que cette dernière fait de ses ressources, nommément les entrées de fonds établies précédemment. Elles proviennent principalement des opérations d'exploitation de l'entreprise, soit des achats qu'elle fait et des frais de toute sorte qu'elle doit assumer, qu'ils soient des frais administratifs, des frais de vente, des frais de fabrication, des frais financiers ou des charges fiscales. Dans les sorties de fonds, sont

également inclus les dividendes distribués, les remboursements des dettes et les achats d'éléments d'actif effectués par l'entreprise, etc.

Les sorties de fonds sont généralement regroupées en quatre grandes catégories :

- *le paiement des comptes fournisseurs*, qui consiste à acquitter les factures d'achat de matières premières et de services rendus comme l'électricité, le téléphone, etc.;
- *les frais administratifs* tels que le paiement des salaires, etc.;
- *les dépenses d'investissement*, c'est-à-dire les coûts liés aux projets d'investissement que l'entreprise envisage de réaliser;
- *le paiement des dividendes, des intérêts et des impôts.*

8. Pour combler ses besoins de fonds ou de financement, l'entreprise a le choix entre trois sources potentielles de financement à court terme, soit :

- Elle peut demander un emprunt bancaire non garanti, sous la forme d'une marge de crédit auprès de la banque. L'entreprise peut emprunter ou rembourser à même la marge de crédit que la banque met à sa disposition, en autant qu'elle ne dépasse pas sa limite. Le montant de la marge de crédit résulte d'une entente avec la banque en vertu de laquelle l'entreprise s'engage à maintenir un solde prédéterminé dans son compte bancaire. Ce solde s'appelle solde compensateur et est généralement équivalent à un pourcentage de la marge de crédit (par exemple, le solde peut être égal à 25 % de la marge de crédit accordée).
- En vertu du principe de gestion précédemment énoncé, l'entreprise peut retarder les paiements à faire aux fournisseurs. En effet, ce faisant, l'entreprise peut dégager des capitaux à court terme pour couvrir ses besoins de fonds. Cependant, on ne peut différer indéfiniment ces paiements, car cela engendre un coût : l'entreprise peut se faire une réputation de « mauvais payeur » et perdre de la crédibilité auprès des fournisseurs. De plus, elle peut perdre les escomptes, dans certains cas substantiels, généralement accordés aux clients qui paient au comptant.
- L'entreprise peut emprunter auprès de la banque en donnant comme garantie certains des comptes clients qu'elle détient ou des stocks qu'elle possède.

Ces diverses sources de financement à court terme peuvent être utilisées individuellement ou en combinaison. Une fois le budget de caisse établi, le gestionnaire forme plusieurs scénarios pour combler ses besoins de financement et évalue différentes combinaisons de financement à court terme avant de choisir celle qui minimise les coûts engagés.

Les solutions

1. Entrées de fonds prévues pour la société Le petit Robert

	Août	Septembre	Octobre
Recouvrement des comptes à recevoir :			
au comptant	140 000 $	160 000 $	200 000 $
mois antérieur	60 000*	70 000	80 000
2 mois passés	60 000	60 000	70 000
Total	260 000 $	290 000 $	350 000 $

* 60 000 = 0,25(240 000), etc.

Sorties de fonds prévues pour la société Le petit Robert

	Août	Septembre	Octobre
Achats (règlements) :			
mois antérieur	151 200 $*	176 400 $	201 600 $
2 mois passés	16 800	16 800	19 600
Frais de vente	68 000**	72 000	80 000
Intérêts			36 000
Remboursement			200 000
Dividendes			40 000
Impôts			4 000
Immobilisations		160 000	
Total	236 000 $	425 200 $	581 200 $

* 151 200 = (0,70) (0,90) (240 000), etc.

** 68 000 = 40 000 + (0,10) (280 000), etc.

Budget de caisse de la société Le petit Robert

	Août	**Septembre**	**Octobre**
Entrées	260 000 $	290 000 $	350 000 $
Sorties	236 000	425 200	581 200
Flux net	24 000	(135 200)	(231 200)
Encaisse (début)	80 000	104 000	(31 200)
Encaisse (fin)	104 000	(31 200)	(262 400)
Encaisse (minimale)	80 000	80 000	80 000
Surplus (déficit)	24 000 $	(111 200) $	(342 400) $

2. Il n'y aurait aucune modification à apporter provenant de l'amortissement, puisque l'amortissement n'est pas une réelle sortie de fonds.

Chapitre 13

Les ratios financiers

Les questions

1. Expliquez en quoi consiste l'analyse financière.

2. À quoi servent les ratios financiers?

3. Expliquez ce que sont les ratios de structure financière.

4. Identifiez et donnez la définition des différents ratios qui permettent de mesurer la structure financière d'une entreprise.

5. Expliquez ce que sont les ratios de liquidité.

6. Identifiez et donnez la définition des différents ratios qui permettent d'analyser la liquidité d'une entreprise.

7. Expliquez ce que sont les ratios de gestion.

8. Identifiez et donnez la définition des différents ratios de gestion.

9. Expliquez ce que sont les ratios de rentabilité.

10. Identifiez et donnez la définition des différents ratios de rentabilité.

11. Expliquez ce qu'est le système Dupont.

Les problèmes

1. À partir du bilan et de l'état des résultats de la société Modulex, calculez les différents ratios présentés dans ce chapitre. (Notez qu'il est préférable de lire le chapitre 14 avant de s'attaquer à ce problème.)

Bilan de Modulex

	Dernier exercice	*Avant-dernier exercice*
Actif		
Actif à court terme		
Encaisse	9 062 $	4 906 $
Valeurs réalisables	226	226
Comptes clients	406 202	377 608
Stocks	228 402	240 334
Frais payés d'avance	22 236	20 680
	666 128	643 754
Placements	16 000	26 286
Avances	2 674	388
Montant à recevoir	10 542	8 310
	29 216	34 984
Immobilisations		
Terrains	31 296	28 086
Bâtiments	198 306	127 020
Matériel	107 346	89 106
	336 948	244 212
Moins : amortissement accumulé	79 090	67 712
	257 858	176 500
Achalandage non amorti	5 026	4 692
Total de l'actif	958 228 $	859 930 $

Bilan de Modulex

	Dernier exercice	*Avant-dernier exercice*
Passif et avoir des actionnaires		
Passif à court terme		
Emprunts à court terme	126 052 $	143 868 $
Comptes fournisseurs	80 388	62 450
Salaires, loyers et intérêts	31 560	30 764
Impôts	16 130	10 658
Régime d'achat d'actions	2 638	4 154
Dividendes	3 760	3 712
	260 528	255 606
Dette à long terme	366 316	295 662
Impôts reportés	18 456	14 704
	645 300	565 972
Avoir des actionnaires		
4 978 actions privilégiées	49 774	40 210
26 400 actions ordinaires	110 000	110 000
	159 774	150 210
Bénéfices non répartis	153 154	143 748
	312 928	293 958
Total du passif et de l'avoir des actionnaires	958 228 $	859 930 $

Note : Le cours de l'action de Modulex sur le marché boursier, à la date où ces états financiers ont été établis, est de 9,50 $.

État des résultats de Modulex

	Dernier exercice	*Avant-dernier exercice*
Ventes nettes	1 293 774 $	1 230 022 $
Autres produits	1 408	1 586
	1 295 182	1 231 608
Coût des marchandises vendues	1 178 750	1 112 596
Bénéfice d'exploitation	116 432	119 012
Provision pour amortissement	15 410	12 676
Taxes municipales	11 410	10 354
Cotisations, régime de retraite	5 556	6 854
Bénéfice avant intérêts et impôts	84 056	89 128
Intérêts sur la dette à long terme	24 756	17 834
Autres intérêts	9 422	9 604
Bénéfice avant impôts	49 878	61 690
Impôts	25 478	31 252
Bénéfice net	24 400 $	30 438 $

Les réponses

1. L'analyse financière de l'entreprise consiste à évaluer les multiples facettes de la performance de l'entreprise, principalement en ce qui concerne la solvabilité, l'endettement, la gestion et la rentabilité.

2. Les ratios financiers permettent d'effectuer une analyse financière. Ce sont des indicateurs de performance dont le calcul est basé sur des chiffres provenant des états financiers de l'entreprise, comme le bilan et l'état des résultats. Les ratios financiers sont utilisés de façon courante, que ce soit par les gestionnaires de l'entreprise qui cherchent à suivre l'évolution de la performance de l'entreprise, ou encore par les investisseurs potentiels, les analystes et les banquiers.

3. Les ratios de structure financière visent à mesurer l'importance de l'endettement (à court terme, à moyen terme ou total) par rapport aux ressources dont dispose l'entreprise afin de réaliser ses opérations. Ces ratios sont particulièrement utiles pour porter un jugement sur la manière dont l'entreprise finance ses actifs et permettent donc de sonner l'alarme dès que l'endettement devient excessif par rapport aux capitaux propres de l'entreprise.

4. *Le ratio d'endettement*

Le ratio d'endettement (ou du levier financier) rapporte le passif total sur l'actif total et donne le pourcentage du financement de l'entreprise qui provient d'engagements financiers. Ce ratio est calculé de la manière suivante :

$$\textit{ratio d'endettement} = \frac{\textit{passif total}}{\textit{actif total}}$$

Le ratio de la dette (et de l'actif total) sur l'avoir des actionnaires

Le ratio de la dette sur l'avoir des actionnaires mesure la part de la dette financée par la mise de fonds des actionnaires. Il est donc particulièrement important pour les actionnaires. Ce ratio est calculé comme suit :

$$\textit{ratio de la dette sur l'avoir des actionnaires} = \frac{\textit{passif total}}{\textit{avoir des actionnaires}}$$

Un autre ratio mesure la répartition du capital de l'entreprise entre l'actif, la dette et l'avoir des actionnaires Il s'agit du ratio de l'actif total sur l'avoir des actionnaires. Ce ratio est important dans la mesure où il est souvent utilisé comme indicateur de base lors de l'analyse du système Dupont. Ce ratio se calcule comme suit :

$$\textit{ratio de l'actif total sur l'avoir des actionnaires} = \frac{\textit{actif total}}{\textit{avoir des actionnaires}}$$

Le ratio de couverture des intérêts

Le ratio de couverture des intérêts détermine le nombre de fois où le bénéfice permet de couvrir les intérêts accumulés sur la dette à long terme de l'entreprise. Ce ratio évalue donc, dans une certaine mesure, le risque que l'entreprise n'ait pas assez d'argent pour payer ses intérêts. Ce ratio se calcule comme suit :

$$\textit{ratio de couverture des intérêts} = \frac{\textit{bénéfice avant intérêts et impôts (BAII)}}{\textit{intérêts}}$$

Le ratio de couverture des charges fixes

Le calcul du ratio de couverture des charges fixes permet de mesurer l'aptitude de l'entreprise à couvrir ses frais fixes à partir de son bénéfice. Ce ratio est calculé comme suit :

$$\textit{ratio de couverture des charges fixes} = \frac{\textit{bénéfice avant charges fixes}}{\textit{charges fixes}}$$

5. Les ratios de liquidité ont pour objectif de mesurer et d'évaluer la capacité de l'entreprise à rembourser ses dettes à court terme, qui sont constituées par ses comptes fournisseurs, ses comptes à payer et ses emprunts à court terme. Les ratios de liquidité mesurent la capacité de l'entreprise à rembourser ces dettes en utilisant ses actifs à court terme, soit son encaisse, ses comptes clients ou ses stocks.

6. *Le ratio de liquidité générale ou ratio du fonds de roulement*

   Le ratio de liquidité générale, aussi appelé ratio du fonds de roulement, correspond au ratio de l'actif à court terme sur le passif à court terme, soit :

$$\textit{ratio de liquidité générale} = \frac{\textit{actif à court terme}}{\textit{passif à court terme}}$$

où :

actif à court terme = *encaisse + comptes clients + placements + stocks*

passif à court terme = *comptes fournisseurs + emprunts à court terme + part de la dette à long terme à payer durant l'année courante*

Ce ratio mesure la solvabilité de l'entreprise à court terme et indique dans quelle proportion les actifs à court terme garantissent le paiement des dettes à court terme.

Le ratio de liquidité immédiate ou ratio de trésorerie

Le ratio de liquidité immédiate, appelé aussi ratio de trésorerie, est déterminé sur la base des actifs à court terme facilement convertibles en liquidité. Le calcul de ce ratio ne tient pas compte des stocks qui constituent la partie la moins liquide des actifs à court terme. Il est calculé comme suit :

$$\text{ratio de liquidité immédiate} = \frac{(\text{actif à court terme} - \text{stocks})}{\text{passif à court terme}}$$

Le ratio de l'intervalle défensif

Le ratio de l'intervalle défensif sert à mesurer, en nombre de jours, la capacité d'une entreprise à faire face à ses décaissements immédiats, soit son autonomie financière à court terme. Il indique le nombre de jours où l'entreprise peut fonctionner à même ses liquidités. À ce titre, il est calculé sur la base des actifs les plus liquides à la disposition de l'entreprise. Il se calcule comme suit :

$$\text{ratio de l'intervalle défensif} = \frac{\text{actif à court terme (liquide)}}{\text{décaissements quotidiens}}$$

où :

actif à court terme (liquide) = *encaisse + comptes clients + titres négociables*

$$\text{décaissements quotidiens} = \frac{(\text{coût des marchandises vendues + frais d'administration + intérêts})}{365}$$

Ce ratio représente donc le nombre de jours pendant lesquels l'entreprise est à l'abri de problèmes d'insolvabilité, soit le nombre de jours où l'entreprise possède une marge de manœuvre et peut faire face à ses dépenses quotidiennes à même ses liquidités, sans nécessiter aucune entrée de fonds.

7. Les ratios de gestion ou d'efficacité servent à mesurer la performance des gestionnaires de l'entreprise et à établir si ces derniers ont utilisé de manière efficiente les ressources matérielles dont dispose l'entreprise.

8. *Le ratio de rotation de l'actif*

Le ratio de rotation de l'actif mesure le volume des ventes produit par chaque dollar d'actif et détermine ainsi l'efficacité de la gestion des actifs. Il se calcule de la manière suivante :

$$\textit{ratio de rotation de l'actif} = \frac{\textit{ventes}}{\textit{actif total}}$$

Le ratio de rotation des stocks

Le ratio de rotation des stocks mesure l'efficacité de la gestion des stocks de l'entreprise et la rapidité avec laquelle les stocks sont renouvelés. Il se calcule comme suit :

$$\textit{ratio de rotation des stocks} = \frac{\textit{coût des marchandises vendues}}{\textit{stocks}}$$

Ce ratio peut aussi être exprimé en jours, ce qui permet de déterminer le nombre de jours moyen où les stocks restent dans les entrepôts. Le ratio de rotation des stocks, en jours, est exprimé comme suit :

$$\frac{365 \textit{ jours}}{(\textit{coût des marchandises vendues/stocks})}$$

Le ratio du délai de recouvrement des créances

Le ratio du délai de recouvrement des créances, ou ratio de rotation des comptes clients, mesure l'efficacité de la gestion des comptes clients. Ce ratio indique la vitesse avec laquelle l'entreprise recouvre ses créances et donc, indirectement, son aptitude à réduire les besoins de fonds externes de l'entreprise. Il se calcule comme suit :

$$\textit{ratio du délai de recouvrement des créances} = \frac{\textit{ventes à crédit}}{\textit{comptes clients}}$$

Le ratio de rotation des immobilisations

Le ratio de rotation des immobilisations permet de déterminer si les immobilisations de l'entreprise sont utilisées de manière productive et efficace. Pour mesurer l'utilisation des immobilisations, nous pouvons calculer le ratio de rotation des immobilisations comme suit :

$$\textit{ratio de rotation des immobilisations} = \frac{\textit{ventes}}{\textit{immobilisations nettes}}$$

Ce ratio représente le montant des ventes en dollars générées par l'utilisation des immobilisations nettes. Plus ce ratio est élevé et plus les immobilisations sont mises à profit. Par exemple, un ratio de 1,2 signifie que 1,00 $ d'immobilisations génère 1,20 $ de ventes.

9. Les ratios de rentabilité ont pour objectif de mesurer la rentabilité de l'entreprise.

10. *La marge bénéficiaire brute et nette*

La *marge bénéficiaire brute* est basée sur les rubriques de l'état des résultats de l'entreprise et relie les ventes de l'entreprise à ses coûts directs de production. Pour calculer le ratio de la marge bénéficiaire brute, nous procédons comme suit :

$$\textit{marge bénéficiaire brute} = \frac{\textit{bénéfice brut}}{\textit{ventes totales}}$$

où :

$$\textit{bénéfice brut} = \textit{ventes totales} - \textit{coût des marchandises vendues}$$

Il est également possible de calculer la marge bénéficiaire nette de la manière suivante :

$$\textit{ratio de la marge bénéficiaire nette} = \frac{\textit{bénéfice net (avant impôts)}}{\textit{ventes totales}}$$

Le ratio de rentabilité de l'actif

Le ratio de rentabilité de l'actif, fréquemment utilisé, indique, en pourcentage, le bénéfice réalisé pour chaque dollar investi dans l'actif. Il se calcule comme suit :

$$\textit{ratio de rentabilité de l'actif} = \frac{\textit{bénéfice net (avant impôts)}}{\textit{actif total}}$$

Ce ratio mesure le bénéfice réalisé par l'ensemble des capitaux investis dans les actifs de même que l'efficacité globale de la gestion de l'entreprise.

Le ratio de rentabilité de l'avoir des actionnaires

Le ratio de rentabilité de l'avoir des actionnaires, ou de rentabilité du capital-action (ou des fonds propres), est une mesure directe de l'enrichissement des actionnaires qui permet de déterminer le bénéfice net avant impôts généré par les capitaux investis par les actionnaires. Il se calcule comme suit :

$$\textit{ratio de rentabilité de l'avoir des actionnaires} = \frac{\textit{bénéfice net (avant impôts)}}{\textit{avoir des actionnaires}}$$

Le bénéfice par action

Le bénéfice par action (*BPA*) évalue la valeur de l'action (ordinaire) d'une entreprise en mesurant le montant de bénéfice net généré pour chaque action ordinaire. Ce ratio est particulièrement important pour l'investisseur potentiel qui a des fonds à placer. Il est aussi l'un des ratios les plus utilisés sur les marchés boursiers pour évaluer l'évolution de la rentabilité de l'entreprise dans le temps : en effet, ce ratio ne peut servir qu'à une comparaison interne avec les ratios antérieurs de l'entreprise. Le bénéfice par action se calcule comme suit :

$$\textit{BPA} = \frac{\textit{bénéfice net après impôts}}{\textit{nombre d'actions en circulation}}$$

Le nombre d'actions en circulation correspond à la moyenne du nombre d'actions en circulation pour deux années consécutives.

Le ratio cours/bénéfice

Le ratio cours/bénéfice (*C/B*) est usuel sur les marchés boursiers. Il correspond au nombre d'années nécessaire pour recouvrer la mise de fonds dans chaque action. Ce ratio se calcule comme suit :

$$C/B = \frac{\textit{prix de l'action sur le marché}}{\textit{bénéfice par action de l'entreprise}}$$

11. Le système d'analyse Dupont est un système qui permet de déterminer si l'entreprise a atteint son objectif principal, celui d'enrichir ses actionnaires, en exploitant la relation qui existe entre les ratios de rentabilité, de gestion et de structure financière. Il s'agit d'un système d'analyse de l'entreprise basé sur différents ratios financiers. L'idée de base de ce système est que l'objectif premier de l'entreprise est de maximiser l'enrichissement de ses actionnaires. Afin de réaliser un tel objectif, l'entreprise doit être rentable, gérer ses ressources de manière efficace et utiliser sa dette de manière optimale.

1. À partir de l'annexe du chapitre 13, nous avons, pour le dernier exercice :

Les ratios de structure financière	Les ratios de liquidité	Les ratios de gestion	Les ratios de rentabilité
ratio d'endettement = 0,67 = 645 300 / 958 228	*ratio de liquidité générale* = 2,56 = 666 128 / 260 528	*ratio de rotation de l'actif* = 1,35 = 1 293 774 / 958 228	*marge bénéficiaire nette* = 0,03855 = 49 878 / 1 293 774
ratio de la dette sur l'avoir des actionnaires = 2,06 = 645 300 / 312 928	*ratio de liquidité immédiate* = 1,68 = (666 128 – 228 402) / 260 528	*ratio de rotation des stocks* = 5,16 = 1 178 750 / 228 402	*ratio de rentabilité de l'actif* = 0,0520 = 49 878 / 958 228
ratio de l'actif total sur l'avoir des actionnaires = 3,06 = 958 228 / 312 928	*ratio de l'intervalle défensif* = 125 = 415 490 / (1 212 928 / 365)	*ratio du délai de recouvrement des créances* (ventes à crédit non disponibles)	*ratio de rentabilité de l'avoir des actionnaires* = 0,1594 = 49 878 / 312 928
ratio de couverture des intérêts = 2,46 = 84 056 / 34 178		*ratio de rotation des immobilisations* = 5,02 = 1 293 774 / 257 858	*BPA* = 0,9242 = 24 400 / 26 400
*ratio de couverture des charges fixes** = 1,64 = 116 432 / 71 066			*C/B* = 10,28 = 9,5 / 0,9242 (où 9,5 est le prix de l'action)

* Notons que le ratio de couverture des charges fixes peut être calculé de différentes manières. Ici :

bénéfice avant charges fixes = bénéfice d''exploitation

tandis que

charges fixes = taxes municipales + intérêts + impôts

Chapitre 14

Une application de l'analyse par les ratios

Les problèmes

1. En vous inspirant de l'application de l'analyse par les ratios présentée au chapitre 14, commentez, en un maximum de deux pages, chacun des ratios calculés au problème 1 du chapitre 13 (Modulex). Supposez que les ratios du secteur sont les mêmes que ceux qui ont été présentés au chapitre 14.

2. Appliquez le système d'analyse Dupont à la société Modulex.

Les solutions

1. Voir le chapitre 14.

2.

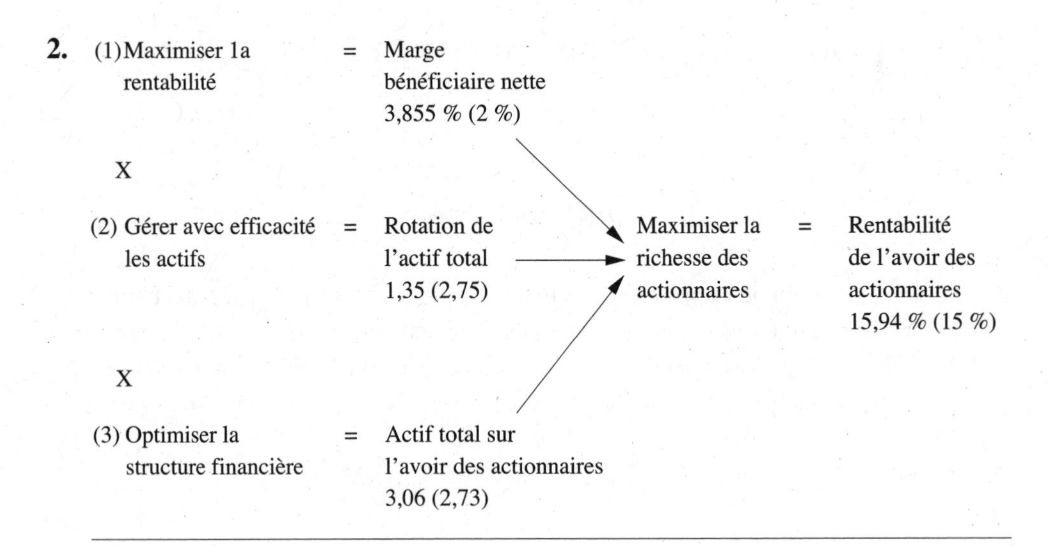

La figure ci-dessus montre que la rentabilité de la société est légèrement supérieure à celle de son secteur (entre parenthèses) avec une rentabilité de l'avoir des actionnaires de 15,94 % comparativement à la moyenne du secteur (voir chapitre 14) qui est de 15 %. Cette performance est principalement due à la meilleure marge bénéficiaire nette (3,855 % contre 2 %). En revanche, le ratio de rotation de l'actif de la société est inférieur à celui du secteur, ce qui dénote une certaine inefficacité dans la gestion des actifs.

Imprimé sur du Rolland Enviro100, contenant 100 % de fibres recyclées postconsommation, certifié Éco-Logo, procédé sans chlore, FSC Recyclé et fabriqué à partir d'énergie biogaz.

Achevé d'imprimer en juillet 2007
sur les presses de l'imprimerie Marquis
à Cap St-Ignace